海外好き公僕技官の
ビール紀行

吉井厚志

1989年　フィリピン　友人家族と旅行

1990年　フィリピン　スモーキーマウンテン

1989年　タイ　チャオプラヤ川の船上

1990年　ベトナム　ロー川調査

1990年　ベトナムの会食

1990年　ラオス凱旋門

1993年　アメリカ　コロラド川（写真提供: 鳥谷部寿人さん）

1994年　スウェーデン　ルレオ

1998年　石狩川の廃船（写真提供: 齋藤清さん）

2000年　札幌　ホロヒラみどり会議（ホロヒラタイ）

2000年　有珠山噴火

2007年　ニュージーランド現地視察（写真提供: 村上泰啓さん）

2008年　カナダ　トロント　ヒッポツアー

2009年　オーストラリア　メルボルン　国際地形学会議

2010年　スロバキア　ドナウ川旧河道

2010年　スロバキア　風倒木荒廃地の花畑

2014年　オランダ　ランチタイムセミナー

2008年　マレーシアの大学の講演会

2008年　マレーシアの大学生

2009年　マレーシア　ムアル川河畔の寺院

2014年　香港の北京ダック

2015年　マレーシア　ランカウイ島のリゾート

2015年　マレーシア　ランカウイ島

はじめに

　このたび、書き続けてきたビールにこだわる紀行文を集め加筆し、出版することにした。原稿を整理してみると、いろいろな場面で飲んできたものだと、われながら感心する。

　本書の題名「ビール紀行」に「海外好き公僕技官」を付け加えたように、わたしは海外赴任経験を持つ技術職の公務員だった。二〇一五年に退官するまで、主に北海道の現場で国土保全と環境保全の技術的な業務に従事してきた。公務員生活三十六年のうち二年八ヶ月間、わたしはフィリピンのマニラにある国際機関の末端組織に勤務する機会を得た。家族とともにマニラに住んで、東アジアを巡り、すっかり国際派を気取るようになった。また、十年近く研究所に勤務し、国際的な研究交流にも参加したので、いっぱしの研究者を装うこともある。

　わたしが、このような経験を楽しく書けるのは、ただ運が良かっただけなのかもしれない。公務員という安定した立場で、組織に守られていたから、国内でも海外でも仕事を続けてこられたのだろう。やりがいのある仕事に巡り会えたのは、様々な機会を与えていただいたおかげだ。だから暢気なことばかりをここに書けるのだと言われても否定できない。

しかし、海外では命の危険を感じたこともあったし、絶望的な状況に悲観したことも、自己嫌悪で逃げたくなったことも多々ある。なんとか立ち直って元気で楽しく過ごしてこられたのは、家族や仲間たち、応援してくれた方々のおかげだ。

特に海外で働いているときには、何のために働いているのだろう？　そもそも仕事とは何なのだろう？　と考え込んだ。公僕としてお国のために働くなんて、偽善的でおこがましく感じられ、ただ義務的に仕事を続けていた時期もある。

仕事以前の問題として、生きていること自体が何のためで、どのように生活を送ってきたのだろう？　海外赴任したての頃は、家族の安全が第一で、次から次に起こる問題を解決していくだけで精一杯だった。そして慣れるに従って、どうせなら楽しく過ごし、少しでもまわりの方々のためにもなれば幸いと思えてきた。まわりの方々を味方につけなければ、危険を回避できないし、生活を続けられないというのも事実だった。

そんな経験のせいか、わたしはこだわりの多い、とんでもないへそ曲がりになってしまった。

わたしは友人から「よしいあつかまし」と呼ばれたことがある。招待もされていない飲み会（もちろん割り勘）に参加して、我が物顔でビールをガブ飲みしていた時につけられた渾名だ。なかなかうまいことを言うなと感心し、図々しい態度を改めるべきかと反省もした。でも、そのぐらいの姿勢でグイグイと生きるべきだと居直る気持ちもある。あつかましい傲慢さと、いやいや謙虚に生きなければという狭間で日々揺れている。

ところで、「ビール紀行」という題名についてネット上で検索してみると、多くの方々がすでに使っているようだ。わたしがこの題名を使い始めたのは、フィリピンに住んでいた一九八九年頃のことだが、その時すでに「ナマ樽博士の 世界ビール紀行」（村上満（一九八四）‥東洋経済新報社）が出版されていたらしい。でも、すでに馴染んでいた題名を諦める気にもなれず、「あつかましく」使わせていただくことにした。

本書の出版に向けて動き始めた二〇二一年、世の中はコロナ禍で自粛ムード、旅にも出られないし、みんなで集まり大騒ぎしてビールを飲むことは制限されている。ひょっとして、ここに述べたような愉快なことは二度と味わうことができないのかと心配になる。でもきっと、また海外旅行をして、仲間と大笑いしながら美味しいビールを飲める日が来る、と信じよう。

お楽しみはこれからだ。

「人類ができることと言えば、現在こうして生きていられることを幸運と感じ、地球上で生起している数限りない事象を前にして謙虚たること、そういった思いとともに缶ビールを空けることくらいである。リラックスしようではないか」

（キャリー・マリス：Dancing Naked in the Mind Field
「マリス博士の奇想天外な人生」福岡伸一訳、ハヤカワ文庫、二〇〇四）

《目　次》

第一章　一九八八年〜一九九一年　アジアのビール

一九八八年九月、わたしは建設省（当時）から、国際協力事業団（ＪＩＣＡ）を通じて、国連の末端機関であるＥＳＣＡＰ／ＷＭＯ台風委員会事務局（在マニラ）に派遣された。

台風委員会事務局のわたしの仕事は、台風被害軽減を目的として作られた委員会の企画運営と、委員会メンバーへの洪水対策に関する技術協力だった。メンバーは、毎年のように台風被害を受ける東アジアの国々である。

赴任期間二年八ヶ月の間、わたしはマニラのオフィスで仕事をし、その上一二〇日間の海外出張があった。女房と子供たちをマニラに残して出張することは不安もあり、わたし自身はアジアの諸国を巡って疲労困憊した。でも、そういったグチをこぼしても誰も聞いてくれそうにないので、楽しかった部分だけでも知って欲しいと、このような駄文を書き残すことにしていた。

一　フィリピンどこでもサンミゲル

〈ラ・ウニオンのキラウィン〉

フィリピン、ルソン島の北部、ラ・ウニオンの田舎町に作られた

マリアーノ・マルコス記念大学のゲストハウスには贅沢にもテラスがあり、夜空の星を見ながらサンミゲルを飲むことができる。フィリピンでは、そこらじゅうでサンミゲルビール三二〇ミリリットルの可愛らしい瓶を見かける。その味は苦みの効いたピルスナー系で、日本人にも親しみやすい。

大学の助手二人と青年海外協力隊の日本人が、ゲストハウスのテラスで、マニラから来たわたしをねぎらいサンミゲルで歓待してくれた。蝙蝠が飛び交う下で楽しく飲みながら、わたしは何でこんな所にいるんだっけ、と思い返していた。

その三日ほど前に、ＪＩＣＡマニラ事務所から土砂災害に関する仕事の依頼があり、十分な準備もなしにとりあえず駆けつけることになった。当時ＪＩＣＡ専門家としてマニラに滞在していたわたしは、断るわけにはいかなかった。

マリアーノ・マルコスとは、マルコス元大統領の父親で、彼を記念して建てた大学が土石流に襲われてしまったのだ。大学の建物は日本の無償協力で完成し、フィリピン政府に引き渡した直後だったので、ＪＩＣＡとしては対応に苦慮したようだ。そこで専門家による調査と対策案の提案で、お茶を濁すことにしたらしい。

午後に大学に着き、わたしは大学総長をはじめ関係者の話を聞いた後に、被害状況の現地

1990年　ラ・ウニオンの土砂災害跡地

調査を行った。そして、翌日に実施する上流部の調査の打ち合わせをして、やっと泥だらけの体をシャワーで洗い流した。あとは翌日のことは忘れてサンミゲルを飲むだけだ。

　ゲストハウスのテラスに来てくれた大学の助手二人は、とても気持ちが良い連中だった。日本から青年海外協力隊として派遣され、大学で働いている若者も、明るく前向きな豪傑である。

　三人が持ってきてくれたビールのつまみは、ビニール袋入りの、唐辛子と酢の効いた赤い肉のタタキだった。フィリピンでは酢と唐辛子で味付けした魚や肉のタタキを「キラウィン」と呼び、地域によっていろいろな種類がある。その酸っぱさと辛さはビールにピッタリで、サンミゲルが売れ続けているのはそのおかげかもしれない。

　ところで、このキラウィンの材料の赤い肉は何か？　と聞くと、なんと「犬」との答えが返ってきた。酢でバイ菌を殺してあるから心配はない、この地方では、大事な客人を迎えると、自分の犬を潰して食わせるんだ、と三人とも笑顔で答える。ふむ、こうなったらアルコール消毒だなと、なおさらビールがはかどってしまった。

翌日、わたしは心配していた腹痛もなく快調だったが、犬肉のキラウィンに慣れているはずの協力隊の豪傑は、脂汗を流しながら遅刻してきた。わたしの胃袋も捨てたもんじゃないと図に乗っていたが、トイレに走る彼の姿を見てぞっとした。人ごとではない。犬肉に祟られて任務を全うできなければ、ましてや命に関われば、それこそ犬死にだ。結局、彼は腹を押さえながらも率先して渓流をよじ登り、調査を無事に終えることができた。

〈マニラのシシグ〉

フィリピンで一番美味しい料理は？　と聞かれると、わたしは迷わず「シシグ」と答える。それも、フィリピン大学の近くのトレリス（Trellis）で食べたシシグが絶品だった。トレリスは、草で葺いたような屋根によしず張りといった風情のレストランで、いつ行っても混んでいる。もとはといえば、英語を習っていたフィリピン大学の女性教授に教えてもらったレストランだ。

女性教授と一緒に昼食に入ったトレリスで、彼女はわたしの好みも聞かず、シシグとイカの炒めもの、そしてサンミゲルを注文した。ステーキによく使われる鉄の皿でジュージューいって出てきたシシグは、暑苦しい昼間にもかかわらず食欲をそそり、サンミゲルも進んでしまう。

シシグは、豚の耳を細切りにして玉葱と和え、魚醤とニンニクで味付けをした料理である。コリコリとした歯ざわり、ジュージューという音、ニンニクの香ばしい匂いと味、そして見た目の大胆さによだれが出てくる。わたしは午後の仕事も、彼女に真っ赤に直された英語のレポートのことも忘れ、シシグの冷めぬうちに、ビールが温くならないうちにと、汗を流しながら急いで食べた。

シシグはマニラの北側に広がるパンパンガ地方の名物で、パンパンガは、フィリピンで最も美味しい料理が楽しめる地方として有名らしい。女性教授は、フィリピンでは素材を大事に使って料理し、例えば豚の耳も捨てないで、このような美味しい料理にするんだ、と誇らしげに語った。きっと、食べ物として死んでいく豚に対しても、感謝の意を表してお祈りを捧げたりするのかな？　日本でも「豚の耳に念仏？」というように。

〈スモーキーマウンテンのサンミゲル〉

東南アジア最大のスラムと呼ばれたスモーキーマウンテンは、再開発が進みすでに跡形もないらしい。これは、マニラの北側に位置するごみ捨て場の俗称で、四〇メートル以上に積み上げられたごみの山が自然発火していつも燻っていたので、そう呼ばれた。一九五四年から一九九〇年まで、ごみ捨て場として利用され、一日約六五〇トンのごみがダンプで運び上げられていた。

スモーキーマウンテン一帯には、二万五千人もの貧しい人々が住みつき、一つの町を形成していた。彼らはごみの中から再利用できるものを選び出し、それを売って生計を立てていた。山の上には教会を中心に飲食店、雑貨商が建ち並び、さらに廃品利用の住居が所狭しと軒を連ねていた。

一九九〇年、ＪＩＣＡ専門家の仲間数人でこの区域を視察することになり、地域の顔役に立ち入り許可と安全の確保を頼み込んだ。この一帯は現地の人もあまり近寄りたがらない場所で、ましてやカメラを首から下げた日本人一行が勝手に立ち入ると、安全は保証できないと言われていた。

わたしたちは市の担当者にガードされながら山に入ったものの、嘔吐感を催す悪臭と煙、ごみから舞い上がる埃に圧倒されてしまった。そこに住む人々はダンプが着く度に群がり、鉤状の道具を使ってごみを選り分けている。それが彼らの仕事なのだ。

一緒に行った専門家の一人が尿意を覚え、勇敢にも廃品再利用の家に便所を借りに入った。しばらくして、顔をこわばらせて出てきた彼に聞くと、便所を使わせてもらった上に、サンミゲルまでご馳走になったという。黒ずんだベニヤでできた壁に沿って進み、教えられたとおり川の上に張り出した板の上から用を足したらしい。合理的な便所だと感心して戻ろうとすると、「まあ一杯飲め、日本人」と濁ったガラスの器に入ったサンミゲルを注いでくれた。

こりゃ、飲まないわけにもいかないと、氷と一緒に油も浮いていそうな一杯を一気飲みにしてきたという。わたしたちは、口元を苦そうに歪めている彼に、ビールは瓶詰めを買ってきたはずだ、水より安全だ、などと慰めの声をかけ、勇気ある行動に敬意を表した。

山では、相変わらず金属、空き瓶、プラスチック、ビニール袋、段ボール、紙類を選び出し分別していた。その横では、健康そうな裸の幼児たちが走り回って遊んでいる。

彼らを見ていると、濁った器のビールにビビってしまうわたしたちの方が異常なのかもしれないと思えてきた。わたしたちは、衛生状態をしきりに気にしながら隔離されたような生活を送り、多くのごみを出している。例えば、毎日捨てている不要になった紙だって、彼らにしてみれば重要な資源だ。「捨てる紙あれば、拾う紙あり?」などと戯れごとを言っている場合ではない。

〈フィリピン巡りで一段落〉

ここで念押ししておきたいのだが、わたしは、フィリピンの人々、彼らの生活を笑い飛ばすつもりは毛頭ない。かえって教えられたもののほうが多かったと感謝している。こうした駄文を書き続けるのも、いろいろな人々のいろいろな生活を紹介したいからだと思う。

こうした経験を経て日本に帰ってきたので、いまだに人生観、価値観の混乱を抱えている。日本人に戻りきれず、それでいて日本の安全で豊かな生活を楽しんでいる。何か中途半端で、帯に短し襷に長し、命短し恋せよ乙女?

二　海外出張でビールを楽しむ

海外出張に出ると、何はなくともビールである。飛行機に乗ったらトイレが近くなることも気にせずにビールを頼み続けるし、ホテルにチェックインして部

屋に入ると冷蔵庫に急ぎ、缶ビールをプシュッと開ける。海外出張に限らず飲んでいるわけだけれど、旅に出るといろいろなビールが飲めるから楽しい。各国の女性が味わえるからなどと豪語している人がいたけれど、それに比べたら、全く平和だよね。

この時の出張は四週間で八カ国を巡るという忙しいもので、ビールでも飲まないとやっていられない。台風委員会メンバーを訪れ、二日間ずつ洪水対策のためのセミナーを開くという、強行スケジュールだ。この頃は湾岸戦争の最中で、大使館からは国際空港は危ないという情報が入っていた。

〈シンハービール〉

わたしはタイ航空に乗ると、必ずシンハービールを頼む。タイ美人のキャビン・アテンダントが自国のビールのオーダーに、思わず微笑んでくれるのが嬉しい。

出発する前日に、最初の訪問先のタイでクーデターが起こったと聞き、予定どおり仕事ができるかどうか不安が募る。確認のため、バンコクに住む日本人に電話をしたところ、全く問題がないから来いと言う。クーデターの直後に連絡が取れなかったのは、パーティーに出ていたせいで、彼はこれからゴルフに行くところだとも言った。安心はしたものの、どういう状況なのか皆目見当がつかない。
でもまあ、これさえあれば幸せだもんね、とキャビン・アテンダントが持ってきてくれたシンハーの缶ビールを喉に流し込んだ。シンハーは、バランスの取れたスパイシーな香りが特徴で、タイ王室に認められた由緒あるビールだ。
結局、翌日からのタイ気象庁におけるセミナーは何事もなかったように行われ、政府職員も当たり前のように働いていた。

〈アンカービール〉

バンコクからクアラルンプールまでの飛行機の中でビールを飲み過ぎ、トイレを我慢しながら、税関の検査を受けた。わたしの荷物を検査していた係官は、わたしを睨みながら3バンドラジオを引っ張り出した。犯罪者を問い詰める口調で、何でこんなものを持ち込むのだと詰め寄って来る。そして、係官二人はわたしを別室に連行した。

タイエアーのシンハービール

バンコクのクーデターとか湾岸戦争とか不穏な動きがあるから、わたしはニュースを聞くためにラジオを持ち歩いているのだ。マレーシア国内でラジオを使って商売をするつもりなどこれっぽっちもない。

連れて行かれた別室で、いかつい顔をした係官にラジオを没収され、書類にサインを強要された。理由を聞くと何のことはない。マレーシアでは、ＦＭ放送の周波数帯を警察無線に使用しているので、出国まで預かると言う。わたしにはマレー語がわからないから、悪いことには利用できないと主張したが、彼はよく手入れされた髭をヒクつかせるだけで、取り合ってくれなかった。

その時、わたしには緊急な用足しと、久し振りのアンカービールが待っていた。ゆっくりしてはいられない。

ラベルに碇のマークがついたアンカーは、船乗りや海賊たちに似合いそうな、強めの炭酸とコクが特徴的だ。日本人オヤジたちからは、「安価」ビールと揶揄されているらしいが、美味くて安ければいいじゃないか。

〈サンミゲルビール〉

マニラ国際空港で、いつもと違う味のサンミゲルビールを飲んだ。品質管理の問題ではなく、その時の飲み手の気持ちのせいだろう。連れ合いのオーストラリア人とトルコ人は、「どうだミスターヨシイ、一層うまいだろう」と御機嫌だけれど、典型的日本人のわたしはあまり楽しめなかった。

ソウル行きの大韓航空機が四時間遅れたので、二人はそれに対して責任を取るべきだと大韓航空のマネージャーを責め立て、せしめたビールである。大韓航空としては責任をとって、一応昼食を用意していた。しかし、それにはソフトドリンクしか含まれていなかったので、二人は怒って空港内電話でクレームをつけたのだ。

御機嫌に酔った二人は、日本人は当然の権利を主張したがらない、こんなときでもあの粗末なランチで我慢して、小説でも読んで済ますのだろう、とわたしをからかった。俺たちの貴重な四時間を補償するにはサンミゲルは確かに安すぎる。でもプリンシプルの問題だから、半ダースで我慢してやろう、と二人は息巻いている。貴重な時間といっても、その日は旅行日だし、旅費の中に日当が含まれている。その上、ソウルに着いて彼等のやることといえば、イテウォン（米軍基地のそばの繁華街）に繰り出してビールを飲むことぐらいなのだ。

わたしは日本人らしく、彼等のおこぼれを頂戴した分だけ素直になって、相槌を打ちながら、半ダースのサンミゲルを飲み干した。

大韓航空のマネージャーであるミスター金は、搭乗ゲートでわたしたちを見つけ、笑顔で見送ってくれた。トルコ人は、俺たちに敬意を表しに来たんだと言ったが、それは間違っている。うるさい奴等が、ビール半ダースずつで諦めて立ち去ることを確認したかったのだ。


〈OBビール〉


わたしが腰を痛めたのは、キーセンツアーのせいだと友人たちは責め立てるが、わたしには身に覚えがない。こんなことを書くのは、女房に校正を頼む事情のせいではない。と、いくら言い訳をしても友人たちは信用してくれないけれど。

ともあれ、四つめの訪問先のソウルは冬本番で、雪に見舞われてしまった。風邪でダウンしたトルコ人をホテルに残して、オーストラリア人と雪見酒に繰り出した。当然OBビールが目的だ。

ビールが飲める店を探して歩き、日式食堂（日本食レストラン）「北海道」に入った。ビールだけのオーダーなのに、経営者の娘さんが次から次へと韓国風日本料理のつまみを運んでくる。そして、彼女はわたしの隣に腰掛け、英語を教えてくれと迫ってきた。

また言い訳に聞こえるかもしれないけれど、ここはいかがわしい店ではなくて、ちゃんとした日式食堂なのだ。韓国では喫茶店でもなぜかママさんが隣に座って世間話を楽しむことになっている。チョゴリ姿に妖艶な化粧じゃなくて、普通のいでたちで。

話は戻るが、彼女はわたしの連れである青い目のネイティブスピーカーを憧れのまなざしで見つめていた。そして、彼と馬鹿なことを言い合って笑っている日本人をちょっぴり尊敬したらしい。

わたしが彼の英語は確かにネイティブだけどオーストラリア訛だ、と説明しても是非教えろと言って聞かない。彼女にとっては、オーストラリア英語も日本訛の英語もどうでもよいらしい。

結局話が変に盛り上がって、一時間足らずのうちに、二人でOBビールを七本も飲んでしまった。

三　ビールで乗り切る綱渡り海外出張

〈青島（チンタオ）ビール〉

雪のソウルで体は冷えきってしまい、暖かいところで、おもいっきりビールを飲みたくなった。次の訪問先は香港なので、ちょうど良い天候のもと、大好物の青島ビールにありつけそうだ。

この旅はビールを軸としたグルメツアーなどではなくて、れっきとしたＥＳＣＡＰ（国連アジア太平洋経済社会委員会）の出張だ。セミナーの講師として三人が派遣され、わたしもその一人だ。相棒のトルコ人とオーストラリア人に助けられながら、なんとか持ちこたえている。

雪の国から常夏の地、上り調子のＮＩＥＳ（新興工業経済区域）から、これからの発展が期待されているインドシナへ、と飛び歩く体力勝負の旅なのだ。ビールだけが友達だ。

国際的なセミナーの行程が半分終わったが、香港からオーストラリア人の奥さんが合流して、英語ばかりの会話に疲れてきた。そのためか、普段は近づかないようにしている日本人女性客が新鮮に見え、いつもは許せない鼻にかけた言葉さえも懐かしく感じられる。

久しぶりの日本料理で昼食にしようと、香港島のそごうデパート地下でお好み焼き屋に入った。ちょうど週末だったので、オーストラリア人夫婦と別れ、日本を懐かしむつもりでいた。するとタイミング良く、隣の席に日本人女性二人連れが座った。久しぶりのお好み焼きに久しぶりの日本語会話と心が躍った。頭の中で横文字を排除して純粋日本語を組み立て、さり気なく声をかけ、しばしの会話を楽しんだ。決してホテルの名前とルームナンバーを聞き出そうとしたわけではない。

ただ残念だったことには、そのお好み焼き屋に青島ビールは無く、サッポロを飲むことになった。お好み焼き屋と喫茶店だけで彼女たちと別れ、ちょっと残念な気持ちをごまかしながら、九龍のホテルに戻った。同行のオーストラリア人夫婦はまだ帰っておらず、合流するはずのバンコク在住の日本人もまだ着いていない。

それでは、夕食に刺身で青島ビールだ！　と心に決め、九龍の繁華街で日本レストランを探した。

香港の鮨屋　青島ビールにありつけず

ホテルの一階にあるショッピング街で、日本人シェフのいそうな高級鮨屋を見つけ、喜び勇んでカウンターの席に着き、刺身と青島ビールをオーダーした。しかし、きちんと和服を着込んだ香港チャイニーズのウェートレスは、営業上の微笑みを浮かべ、青島は無いと答えた。不運なことに、また青島ビールにはありつけず、香港サンミゲルで我慢することになった。わたしの落胆の表情に気がついたのか、日本人シェフはカウンターごしに、旬の魚をいろいろと勧めてくれた。

しばらくすると、美しく着飾った四十歳ぐらいの日本人女性が、しとやかな素振りでカウンターの端の席に腰を下ろした。さて昼間の要領でと、さり気ない日本語の言葉の組み立てにかかったが、声をかける前に彼女の連れが現れてしまった。重役ふうの気取った男は、慣れた仕草で彼女の肩に手を置きながら、彼女の横に座る。そして、金のローレックスが光る左手を軽く上げ、日本人シェフに「やあ、しばらく」と言った。

わたしは迷惑を顧みず話しかけたが、二人は簡単な相槌を返すだけで、すぐに二人の会話に没頭してしまう。しかたがなく一人寂しくサンミゲルを飲んでいると、シェフを交えた楽しそうな二人の声が聞こえてくる。話の断片を繋げてみると、彼等は別々のフライトで香港に着いたばかりで、久し振りの逢瀬らしい。慣れた手つきのビール瓶のやりとりを見ていると、自分自身が哀れになってきた。

会話に入り込めなかったひがみと、青島にありつけなかった苛立ちもあって、彼等の仲は尋常ではないと断定した。想像が膨らむにつれて、なおさら自分が惨めになり、二人から目をそむけながらレストランを後にした。

ホテルに戻る途中で半ダースの青島ビールを買い込み、それで気分を盛り上げることにした。青島ビールのフルーティな香りが、惨めな夜をかろうじて取り繕ってくれる。わたしは独り言をつぶやきながら、家族への手紙を書きなぐり、情けない涙をこらえていた。


〈五星ビール〉


香港から北京への中国民航機は、二年前に搭乗した時より少しは近代化されていた。キャビン・アテンダントは、昔の日本のバスガイドに似た制服から脱皮し、給食のおばさんを彷彿とさせるエプロンもやめたらしい。しかし、彼女たちの態度は相変わらずで、職業上の微笑さえ浮かべず、機械的におしぼりを配っていく。

けれども国際線はまだましらしい。国内線では、熱いウーロン茶のサービスをするために、でっかい金色のヤカンを振り回すんだ、と在中国日本大使館の書記官が教えてくれた。そして紙コップからこぼれた熱いお茶で火傷した乗客のために漢方薬が常備され、飛行場には救急車が待機しているという。だから、熱いヤカンで顔を殴られるのが嫌なら通路側に座らない方が良い、と彼はアドバイスしてくれた。

話は戻って、国際線のキャビン・アテンダントは、アルミホイルで蓋をした朝食を配り始めた。このへんは二年前とあまり変わっていない。それから紙コップを配るので、まさかヤカンが出るかと見守っていると、さすがにワゴンを押して来た。中国風英語で何を飲みたいのかと聞くので、当たり前のように「ビール」と答えると、彼女は目を丸くして驚いた。青島（チンタオ）じゃなくても五星ビールでも良いのだよとわたしは付け加える。しかし彼女は、ビールは無い、ジュースかお茶、コークもあるよと、素っ気ない声で答えた。

わたしは国際線の機中でビールを飲むことは国際条約で認められた確固たる権利だと信じている。飛行機や電車の中で寛いで飲むビールの旨さについて、世界中の哲学者や文学者が論じているではないか。

ビール抜きの味気無いフライトを終え、時間のかかる税関検査を経て、一時間以上車に揺られ、やっとホテルに辿り着くと夕方になっていた。わたしは、香港から乾きに耐える試練を課していたので、一層美味しい五星ビールにありついた。

〈ラオ・ビール〉

中国からバンコクを経由して、次の目的地ラオス、ビエンチャンに着くまでは、慌ただしい行程だった。北京から香港経由でバンコクに入ったはいいが、バンコクのラオス大使館とベトナム大使館で両国の入国ビザを取らなければ、その後のミッションが続けられない。

バンコク滞在を延ばして、一日で二カ国のビザを取るという無謀な試みをすることになった。朝からベトナム大使館の長い列に並んで申請書を提出し、担当官に事情を説明して頼み込む。最初はビザ発行に数日かかると言われたが、国連のレターの強みで当日三時交付の約束を取りつける。

それから渋滞のバンコク市街地をタクシーで走り、ラオス大使館へと向かった。粘ったものの、ラオス入国ビザの当日交付は断られ、翌朝一番に受取ることになった。すぐさまベトナム大使館に引き返し、約束の三時にビザの添付されたパスポートを受取り、それをまたラオス大使館に届ける。ひとつでも引っかかると、翌日からのラオス・ベトナムのセミナーに穴を開けるという綱渡りである。

その晩、翌日のラオス行きのフライトに間に合わなかった場合、どのようにベトナムのハノイにたどり着くか、クロスタービールを飲みながら考え続けた。タイのクロスターは、シンハービールよりも日本のビールに似ている、やはり美味しいビールである。

翌朝、ラオス大使館の開館が遅れたものの、問題なくビザを受取り、渋滞のバンコク中心部をタクシーで走り抜け、飛行機に間に合うことができた。そして、ビエンチャンに着くと、ほっとする間もなく、ホテルにも寄らずにセミナーの会議室へと連行された。タイでビザ取得のため費やした一日のせいで、タイトなスケジュールになっていた。

暑い国で、これだけ走り回った後のビールは、なおさら美味しく感じられる。バンコクからビエンチャンへの汗だくの綱渡りの後、フィリピン訛の日本人英語とオーストラリア英語、アメリカ仕込みの日本人英語にラオ語がとびかうセミナーをこなしたのである。

ラオ政府の招待で、メコン川を足元に望むレストランに辿り着き、やっと一息ついた。メコン川の川面を吹き抜けてくる風の中で飲み干すラオ・ビールは、それまでの奮闘を十分ねぎらってくれた。以前「いつもぬるく、時々白濁している」と悪口を言っていたラオ・ビールだが、あっさりした飲み口でとにかく美味く、素直に前言撤回した。

〈ベトナムのハイネケン〉

洪水対策セミナー最後の開催地は、ベトナムのハノイである。ハノイは雨季に当たるのか、じめじめして、そこら中カビの臭いがねっとりとはりついていた。ベトナム水資源省の担当官が用意してくれたホテルは、五つ星らしいが木賃宿という風情で、カビ臭が特に強い。風呂場のタイルはヌルヌルして、足の裏からカビの菌糸が入り込んでくるような気がする。

臭いを紛らわすため、そして鼻と口から入るカビの胞子をアルコール消毒するため、夜になるとハイネケンを飲み続けた。湿っぽい布団の中まで臭いがしみついていて、ビールの助けを借りなければ寝られない。朝起きる時、目を開ける前に鼻が自分の居場所を嗅ぎ当てる。

とても我慢ができず、初日のセミナーが終わってから、別な宿を求めてハノイの賑わいの中を歩き回った。二年前に泊まったことのある政府のゲストハウスならば、もっと居心地が良いはずだ。

ハノイの路地の脇には屋根の低い家々が近接して連なり、澱んだ浅いドブが、道路と家の間をかろうじて隔てている。人々は、その境界の辺りで夕飯の準備をしながら、おしゃべりを楽しんでいた。

記憶を頼りにゲストハウスを探し当て、ミッションメンバー全員の宿泊が可能であることを確認した。あの湿り気と臭いから逃れられると思うと、本当に嬉しい。

しかしホテルに戻り、オーストラリア人に宿を移ろうと提案すると、あっさりと断られてしまった。彼が言うには、ベトナム政府として良かれと思って準備してくれた宿だから、それをキャンセルするのは失礼だ。俺のスコッチを飲んでいれば、臭いはそのうち忘れるさ…。確かに彼の言うとおり、勝手に宿を移ることはベトナム政府の好意を裏切ることになる。

自分の立場を忘れて図に乗っていたことを反省して、オランダのハイネケンではなく、現地の「３３３ビール」の苦さを味わった。このビールは、強めの苦みと炭酸が、フルーティな香りを引き立てている。現地では「ビア・バー・バー」と呼ばれているらしい。

ハノイ最後の晩、ベトナム政府水資源省の担当官たちが、そのホテルの食堂で盛大なパーティーを開いてくれた。オーストラリア人は赤らんだ顔で、笑いながら片目をつぶり、臭いよりもホスピタリティーさ、と言った。

〈再びサンミゲル〉

ハノイからホーチミンシティーで飛行機を乗り継ぎ、バンコクで一泊してから、ようやくマニラに辿り着いた。四週間で八カ国を回るというミッションは、そのへんのサスペンスやミステリーよりもワクワクさせられたが、ハードボイルド並みの疲れが全身を包んでいる。

国際的なセミナーの講師をアジア各国で行うという経験は、日常では考えられない貴重なものだ。最初は、何をしゃべっているのか分からなくなって、頭が真っ白になり、相棒であるオーストラリア人の助け船に頼るしかなかった。その日の研修が終わってから、彼は自己嫌悪に陥っているわたしを慰めてくれた。誰にでも最初があって、それを乗り越えなければならない。わたしは、恥ずかしさをごまかすため、そう、初めて飲んだビールは苦くて耐えられなかったと答えた。

同僚に迷惑をかけながらも、その後のセミナーは何とかこなし、マニラのわが家に帰ってきた。一つの仕事をやり遂げた満足感がある。しかし、講師として伝えてきたことよりも、各国の議論を通じてわたしが教わったことの方がはるかに多かった。

久し振りに家族と食卓を囲みながら、やっぱりサンミゲルだ！　と叫んでしまった。さんざん各国のビール話につき合わされていた家族は、呆れた顔をして黙り込んだ。わたしは、貞操観念の無さに自ら苦笑して、やっぱり「ご当地ビール」だよな、と言い直した。

四　国際機関のビール呑み

〈ピルスナー・ウルケル〉

わたしがフィリピンに住んでいた頃、二種類の身分証明書を使い分けていた。二つの顔を持つ男なんて、スパイみたいでかっこよく聞こえるけれど、ただ身分が複雑だったからに過ぎない。わたしはＪＩＣＡを通じて、国際機関の末端組織である台風委員会事務局に派遣された専門家だった。正式な国連職員になるには、語学試験などが厳しいらしいが、返還不要借款ベースの専門家（なんのことか自分でもよくわからない）の場合は、難しい制限はない。

わたしは、言葉はだめでも、技術と体力と愛想で勝負する立場と開き直っていた。ややこしい説明を省くため、日本政府が技術協力専門家として認めた身分証明書と、国連開発計画（ＵＮＤＰ）が発行する国連職員としての身分証明書を、わたしは常に携帯していた。

フィリピンでは、何かといえば身分証明書（ＩＤ）の提示を求められる。例えばカードで買い物をする時に、二つの身分証明書では足らず、パスポート提示までも要求されたことがある。

わたしの友人は、信号無視で警察に止められたときに、運転免許証に五〇ペソ札（当時のレートでおよそ二五〇円)を重ねて差し出した。警察官は運転免許証の写真には一瞥もくれず、五〇ペソ札に印刷された歴史的人物の顔を見て、「おまえとは違う」と睨んだそうだ。渋々と一〇〇ペソ札を渡すと、警察官はニヤリと笑い、札の顔と友人の顔を見比べながら、「これならおまえに間違いない」と無罪放免にしてくれたという。

1990年　フィリピン　台風委員会総会

当時、自分の身分証明書を見ながら、いったいわたしは何のために働いているのだろうか？　と考え込んだことがある。もちろん、生計を立てて家族を守るために働かなければならない。海外勤務では特に、生活すべてが仕事のような感じで、生活のために仕事をしているのか、仕事のために生活しているのか、訳が分からなくなる。先輩からは、家族ともども健康で無事に帰国できれば、それだけで専門家の仕事の七〇％は成功だと言われていた。

それでは自分と家族は別として、何か別の使命感を持って働いているのだろうか？　建設省のため、日本国のため、フィリピンのため、台風委員会メンバーのため、国連という組織のため？　まさか偉くなるため、金儲けのため、自己顕示欲を満たすため、などとは言いたくない。いっそのこと、世界中のみんなのため、将来の子供たちのためと格好をつけたいけれど、それは傲慢に過ぎるだろう。

国連の立場を利用すると、決められた時期に免税で酒などを輸入する外交特権があった。分厚いカタログからスコッチやフランスのワインを選んで申し込み、安く手に入れることができる。このような外交特権は、受け入れる国によって、また外交官の立場によって異なっている。フィリピンでは、国連職員として認められる外交特権のほうが、国際協力専門家としてのそれよりも強かった。

わたしは、チェコのピルスナー・ウルケル飲みたさに、定められた時期の前に申し込みをしてしまった。このビールは、ピルスナータイプのビール発祥の地とされるピルゼンで、頑固に木樽で醸造されているらしい。しかし、そのピルスナー・ウルケルの二ケースはマニラに着いたものの、税関の手続きで止まってしまった。

国連開発計画（ＵＮＤＰ）の担当者は、なぜそんなバカなことをしたのか、とわたしを責めながら、とにかく税関に行くように言った。あるいはアンダー・ザ・テーブルが効くかもしれないと付け加える。日本では袖の下というが、賄賂の札束が袖の下に入りきれない時には、机の下（アンダー・ザ・テーブル）で手渡すらしい。もちろんわたしは、そんな手段を使うつもりはなかった。

わたしは胸に国連の身分証明書をつけ、マニラ国際空港の近くにある税関に入って行った。税関の担当者は、足元にピルスナー・ウルケルの二ケースを放置したままで、きちんと輸入業者を通じて関税を払わなければ、渡すわけにはいかないと断言する。国連の身分証明書もこれには効果を発揮しなかった。

担当者の足元の二ケースを横目で睨みながら、税関を出ようとすると、そこに勤めている老人が握手を求めてきた。わたしの身分証明書を見て、目を輝かせ、国連（UNITED NATIONS）という言葉を繰り返している。握手に応じると両手でわたしの手を包み、何やらうれしそうにつぶやいた。外交特権を使って関税をちょろまかそうとした情けないわたしが、身分証明書だけで、英雄のように見えるらしい。

専門の輸入業者に関税の手続きを頼み、ピルスナー・ウルケル二ケースを手に入れたのは、それから二週間後であった。予想以上に早かったのは、いやに高く感じた輸入業者の手間賃のおかげかもしれない。片方のケースは、輸送の過程でつぶれてしまい、半分のボトルが割れていた。

苦労して手に入れた、ヨーロッパの薫り高きビールを、女房や友人と一緒に楽しんだ。見分不相応な贅沢を少しだけ後ろめたく感じながら。

あの時、握手を求めてきたおじいさんは、わたしに敬意を表したのではなく、身分証明書に書かれた組織に憧れを抱いたのだ。ひょっとすると、UNITED NATIONSが連合軍として戦っていた戦時中を思い出したのかもしれない。フィリピンから日本軍を追い出したことに対する感謝の気持ちだったのだろうか。

わたしは身分証明書が決して自分の姿を表していないことに、今さらながら気がついた。それに、証明された身分は、生きている証ではなく、生きる目的ですらない。身分相応な立場で、自分と家族のために働き、少しでも他の人や地域や地球のためになれば幸いだ。


〈バドワイザー〉

わたしは頻繁に国際会議に出席したが、まわりの人に迷惑をかけながら、国際機関の仕事について教わるばかりだった。最初は何を議論しているのかさえもわからず、頭の中が真っ白になったが、少しずつ慣れてコツがわかってきた。少なくとも、コーヒーブレイクの過ごし方は人並みになったと思う。

実際、会議の合間のコーヒーブレイクは、その後の議論を左右する、重要な根回しの場であった。「根回し」が日本の専売特許と信じている人もいるが、それは大きな間違いだ。国際会議出席者はコーヒーを片手に談笑しながら、相手の考え方や出方を探る。そして、休憩後の議論の進め方をしっかり計算し、誰が鍵を握るのかを見定める重要な機会だ。

根回しの元祖かもしれない日本人が、片隅に集まって内輪の議論にのめり込んでいることも多い。会議の先行きよりも、日本語の議論のほうがよっぽど大事なようだ。自分が所属する組織の代弁者として、縦割りの議論を持ち込む人さえいる。あげくの果て、自分にはそこまで判断する責任がない、本省（所属により当然意味する省が異なる）に聞かねば答えられない、と電話に走ったりする。

台風委員会は、気象関係は気象庁、洪水防御関係は建設省、防災対策は国土庁が後ろ盾となっていた。その上、お目付役として外務省が睨みをきかすという、四省庁入り交じっての混戦だったため、日本人相手の調整にも神経を使った。全く、内輪（団扇）の話ばかりでセンス（扇子）が無いというものだ。

国際会議の後の懇親会も、情報収集の意味で貴重な場だ。バンコクのＥＳＣＡＰ（アジア太平洋経済社会委員会）における懇親会で、太ったアメリカ人専門家が、国際機関がうまく機能しない理由について、ぼやいていた。

君たち日本人は、帰国しても良い仕事に就けるだろ？　だけど、国連職員の中には、帰国したら仕事がない者がいる。特に経済的に厳しい国から来た職員は、帰っても仕事が無いか、あっても給料が呆れるほど安い。だから、自分の立場にしがみつき上のポストを狙ったり、同国人を引き上げるための仕事に力が入る。もちろん、出身国にかかわらず、実力のある立派な専門家はいるけどね。でも、真面目に本来やるべき仕事に集中している人に限って、ポストを確保することに後れを取る。

やるべき仕事をしていても評価されないのか、とわたしが聞くと、彼は皮肉っぽく微笑みながら、ＥＳＣＡＰの重要なポストに日本人が少ないのが、その証拠さと呟く。仕事の九〇％を自分や同国人のポスト確保のために打ち込む職員に、九〇％以上を本来業務に費やす人が太刀打ちできると思うかね？　それが、今の国際機関の悩みだ。

気分を変えようと、シンハービールを彼のグラスに注いだ。シンハーよりも母国のバドワイザーの方が飲みたいのでは、と聞くと、彼は笑いながら首を振った。タイの料理には地元のシンハービールがぴったりさ、と彼はきっぱり答える。こういう話題の方が、明るくて応じやすい。

わたしは自分のグラスをかかげ、ジャックダニエルスが気に入っていると、アメリカのウィスキーを称えた。彼は、ジャックダニエルスが最高のウィスキーだと思うけれど、最近はスコッチばかりを飲んでいると言った。なぜかという問いに、彼はいたずらっ子のように笑いながら答えた。それを飲むとやたらと喧嘩をしたくなる。

ずる賢い人が幅をきかせて、真面目な人が浮かばれないことは、よくある話だ。正直者が馬鹿を見て、憎まれっ子、世にはばかる。ビールとストレスで膨らんだ腹の上で、正直者のシャツのボタンははじけ、胸元が大きくはだけていた。肉余りっ子、夜にはだける。


〈フォスターズ・ビール〉


台風委員会事務局としては、仕事でもメンバー各国を訪れ経験を積むことを奨励していた。休暇を取って海外に遊びに行くことさえ、フィリピン人のボスは勧めてくれた。彼自身、アメリカ留学していたころから、多くの国を巡り見聞を広めたという。

しかし、当時のＪＩＣＡは規制だらけで、何かと理由をつけては、海外旅行を制限していた。もしも事故があると困るから。民間の方々から遊んでいるように見られるから。アジアは良いけれど、オーストラリアは遠すぎるから。オフィシャルのパスポートでふらふらと旅行するのはいかがなものか。ちょっと待ってよ、夏休み前の校長先生の訓示じゃあるまいし。

そんなことで尻ごみするようでは、海外では生きていけない。わたしは、ＥＳＣＡＰのコンサルタントをしているオーストラリア人に、応援を求める手紙を書いた。台風委員会メンバー諸国の洪水対策を進める上で、オーストラリアの現地視察は重要な意味を持っているはずだ。わたしは正月休み中にそれを計画しているのだが、なかなか認めてくれそうにない。そちらから、仕事の上でもオーストラリア訪問が必要だという招待状を送ってもらえないだろうか。

オーストラリアの知り合いは、もっともらしい招待状をでっち上げてくれた。シドニーの南部、パラマッタ川上流域において流域管理組合を設立し、市民主体の流域管理を進めている。台風委員会の総合治水の議論に大変参考になるので、専門家を派遣する機会を作って欲しい。十二月の下旬に現地視察と議論を行う手はずを整えている。こんな内容の招待状だった。

わたしは、招待状を振りかざしながら、ＪＩＣＡの担当者にオーストラリアへ家族と行くことについて説明した。休暇中の旅行だけれども、仕事の面でも意義があるという主張に、異議を唱える余地は無かった。

早速わたしは、六人分の航空券を手配した。家族四人と、ちょうどマニラへ遊びに来る予定の両親も連れて行くことに決めていた。両親はクリスマスを常夏のマニラで、正月を暖かい南半球で過ごすという贅沢な計画だ。休暇中で誰に迷惑をかけるわけでなし、自分で貯めた金で行くのだから、遠慮することはない。

マニラ国際空港で、わたしたちの荷物をエックス線で調べていた係官が、突飛な声をあげた。「これはなんだ？」わたしのトランクに、弾丸のようなものが並んで見えるという。モニターを覗きこむと、なるほどアーモンドチョコレートの粒のようなものが数十個並んで写っている。

わたしは大笑いしながら釈明をした。これは麻雀のパイです。えーっと、中国のダイスを使った麻雀という面白いゲームを知っていますか？　正月は家族で麻雀！　と言い張る両親に従い、マニラで買ったイタリア製の雀パイが、トランクの底に入っている。日本人家族がフィリピンからオーストラリアを訪れ、イタリア製の雀パイで中国のゲームを楽しむ。なんて国際的なのだろう？

オーストラリアでは、知り合い夫婦にシドニー周辺を案内してもらった。ゴールドコーストで泳いで、コアラを抱いて写真を撮って、夜は生牡蠣にビール。フォスターズ・ビールも、XXXX（フォー・エックス）ビールも、牡蠣の味を引き立ててくれる。一ダースの生牡蠣にカクテルソースをつけたり、レモン汁をかけたりして、父親と争いながら食べた。

この時期から、JICAマニラ事務所は、専門家のオーストラリア旅行を容認するようになっていた。そして、なぜかその翌年は再び自重するよう求めてきた。JICA担当者は、「君子危うきに近寄らず」ですよ、と言った。あんたら「朝令暮改」だから、信用はしていないと返すと、いえいえ「君子豹変す」と理解してください、とのたまう。自分たちを聖人君子とでも思っているのだろうか。

横並びや前例の踏襲に基づく制約に縛られるよりも、それぞれの経験を深めて共有し、将来の糧とする努力をしたいものだ。そんな横並びや前例が、他の組織や海外で通用するとは思えない。わたしたちは、ただでさえ慣れない海外生活と仕事で苦労し、七転八倒していた。というよりも、七転び八起きの意気込みで立ち上がってきたつもりだ。

いくらダメと言われても、打つ手はいくらでもある。オーストラリアからでも、国際機関からでも、招待状でも召喚状でも取り寄せてみせる。転んでもただでは起きないぞ。

さてさて、ところでわたしたちは、どういう立場で、どういう目的を持って、どんな制約の中で、七転八倒しているのだろう？　誰のために、なんのために、こんなに焦って走り回っているのだろう？

第二章　一九九三年～一九九五年　アメリカと北欧のビール

一　アメリカ　コロラド川

〈アメリカの言葉〉

初めてのアメリカを味わうため、同行の若者研究者と一緒にレストランで夕食をとることにした。翌日からのコロラド川源流から下流部まで三千キロメートル、一週間の旅に向けて、デンバーに到着したばかりの私たちは興奮気味だった。この旅は、一九九三年に開発土木研究所（現寒地土木研究所）の河川研究室とアメリカ地質調査所が企画した国際ワークショップで、日米の研究者がコロラド川を実際に見ながら、議論する計画だった。

レストランの入り口でしばらく待たされ、日本人十人はようやく大きなテーブルを囲んだ。渡されたメニューとウェートレスの早口の英語に戸惑っていると、「英語を話せるのか？」と聞いてくる。とにかく、近くで醸造されているクアーズビールを頼み、酔いで気持ちを落ち着かせることにした。

メニューの解読を終え、ここぞとばかりに英語を組み立ててオーダーすると、ウェートレスの彼女は、「スーパーサラダ？」と聞いてくる。なるほど、旅人は野菜が不足しているという配慮なのかと感心し、「ヤァ、サラダ　プリーズ」とアメリカを気取って答えた。後か

ら分かったことであるが、これは実は「Soup or salad?（スープかサラダか？）」という質問で、早口のためそう聞こえたらしい。料理にはスープかサラダが付いてくることになっており、どちらにするか聞いたのだ。スーパーサラダという豪勢なサラダを期待したわたしの前に、彼女はちんまりしたサラダを置いて、嘲笑うようにして去っていった。

それから、彼女はさあこれを食え、とばかりにメインディッシュを並べ、「キャッチアップ？」と尋ねた。わたしは英語のハンディに負い目を感じているせいか、英語をちゃんと把握し、ついてこられるのか（Catch up）？　と聞かれたと思い、「ヤァ、キャッチアップ」とアメリカ弁でやり過ごす。

すると、彼女は「はい、キャッチアップ！」と機敏な動作で、大きなケチャップの瓶をテーブルの中央に置いた。アメリカ西部ではケチャップを「キャッチアップ」と発音するらしい。わたしは動揺を隠しながら、当たり前のようにケチャップを肉にかけ、クアーズを追加注文した。

Ketchup!
Super salad...?
Coors
デンバーのレストラン

初日からこれではと思いやられたが、クアーズに元気づけられてきた。案ずるより産むが易し、下手な考え休むに似たり、出たとこ勝負はいいけれど、出る杭は打たれるか？　と、酔いにしびれたシナプスがいつもの調子を取り戻す。あとは野となれ山となれ、習うより慣れよ。

〈アメリカの未来〉

コロラド川の国際ワークショップには、アメリカの研究者が十一名、日本からは十九名が参加した。昼はコロラド川を見ながらアメリカ側の説明をもとに議論し、夜は日本側の関連する研究についてプレゼンテーションを行い、またまた議論するという強行軍なのだ。

アメリカの研究者たちとはファーストネームで呼び合い親しく話したが、二人のジョンがいて区別する必要があった。日本人の間では、背の高い方のジョンを、ジーンズメーカーをもじって、ビッグジョンと呼ぶことにしていた。

モアブという町に早めに着き、ビッグジョンと散歩をしていた時のことである。目の前を、モヒカン刈りを色鮮やかに染めて、耳にピアスを一杯ぶら下げた十代の白人男がイキがって歩いていった。なんだこりゃと見送ると、ビッグジョンは「American future is walking there!（アメリカの未来が歩いていく）」と呟いた。彼は必ずしも、アメリカの未来を楽観していないらしい。

彼は、厳しいお父さんに鍛えられ、そしてその実直なお父さんの必死に働く姿を見ながら育ってきたと言った。今のアメリカは経済的に楽になったけれど、その分若者たちは安易な生き方をしている。そんな連中がこれからのアメリカを担うんだと悲しそうに語る。それはアメリカだけの問題ではなく、日本だって同じなんだ。高度経済成長の間に何か大事なものを失って、取り返したくても、一体どこに行っちゃったか分からない。

そんな深刻な話をしながらも、宿に戻るとビールを浴びるように飲むのがアメリカンなのだろうか。ビールはいつになく苦く薫っていたが、半ダースも空けると、深刻な未来に対する不安も、文字通り泡と消えていった。

〈アメリカの味覚〉

アメリカで美味しかったものは？　と聞かれると戸惑ってしまう。朝飯に食べたパンケーキはどこにでもあるものだし、チリ（唐辛子）の入ったブリトーはメキシコ料理だ。昼食のサンドウィッチは美味しかったものの、味わった気がしなかった。

コロラド川上流の田舎町のショッピングセンターで、各人が昼食を勝手に仕入れて、駐車場の車中で食べる機会があった。アメリカの研究者たちは目の前で作ってくれるサンドウィッチが美味しいから試してみろという。それを鵜呑みにしたわたしが馬鹿だった。

店のおばさんに「サンドウィッチをつくって」と頼んだところから、矢継ぎ早の質問責めに答えるハメになった。「パンの種類は？」「何ポンドの大きさ？」「マスタードは黄色か茶色か？」と、中にはさむ物にさえなかなかたどり着かない。「この白いパン、そうそう。何ポンドと聞かれたって。そうそのくらい。ええと、茶色のマスタードを試そうかな」そして、中にはローストビーフにレタスとトマト、玉葱を少し、それから黒い胡椒を効かせればこれでいいだろう。

「キャッチアップ？」またきたか。「ケチャップは少なめに。そう」できたてのサンドウィッチを受取ると、一仕事終えた満足感に、涙が出そうになった。これで良かったのかな？ と女性研究者のパットに聞くと、「Perfect!（完璧）」と褒められた。わたしは素直に喜ぶ気になれず、「完璧に疲れたよ」と照れ隠しをした。

その晩は、宿の近くのメキシコレストランで、スティーブと一緒に、タコスとコロナビールを味わった。タコスはトウモロコシ粉を薄く焼いたトルティーヤに、挽肉やチーズなどをはさむ、チリの辛さがぴったりのメキシコ料理だ。コロナビールもメキシコ産で、ライムの香りと一緒に楽しむことになっている。コロナビールの瓶にライムのくし切りか輪切りを無理やり押し込んで、ラッパ飲みするのがお勧めらしい。暑い国の料理らしく、チリの辛さとライム入りビールが引き立て合って、とても美味しかった。

昼間の恨みもあって、スティーブに「アメリカに来て一番旨いと感じたのは、メキシコ料理のタコスとメキシコのコロナビールだよ」と意地悪を言ってしまった。ちょっと後悔しながら彼を見ると、「俺だってそう思うよ」とソースのついた指を舐めながら、アメリカ人らしく大笑いをした。

笑う門には福来る。皆で笑えばこわくない。急がば笑え。石橋を叩いて笑う。えーい。まだまだ。笑う世間に鬼はいない。

二　北欧にたどり着くまで

一九九四年の冬、開発土木研究所（当時）の河川研究室の好意で、環境研究室にいたわたしも、北欧に共同研究の打ち合わせに行けることになった。

河川研究室はスウェーデンとの合意に基づき共同研究を進めていた。環境研究室の持っているテーマは、ノールウェーと国家間の合意はできているものの、具体的な研究はまだ進んでいない。この機会を利用して共同研究の進め方のノウハウを盗むとともに、ノールウェー側と打ち合わせをして、具体的な取り組みに結びつけるのが、北欧行きの目的である。ちょうど時期が重なっている、リレハンメルオリンピック観戦を狙っていたわけではない。

〈サッポロ黒生ビール〉

北欧行きの旅は、最初から暗雲が立ちこめていた。札幌雪祭りの最終日、人の波でごった返す街並みは吹雪でかすんでいる。いやな予感を押し留めながら、ＪＲで新千歳空港へと向かった。

混雑した空港ロビーで「サッポロ黒生ビール」の看板を見つけ、ダウンジャケットを羽織ったまま、黒生を一気に飲み干した。雪祭りの札幌をあとにして、オリンピックの開催されている北欧に向かうなんて、国際派を気取った遊び人みたいだな、と我が身を振り返る。でも、これはレッキとした海外出張の途上である。「出張の途上でビールなど」と眉をしかめる方がいるかもしれないが、公僕のわたしたちにも、それぐらいの自由はあるはずだ。わたしのような実績のない研究者には、ビールでリフレッシュした時の自由な発想が唯一の強みなのだ。

〈アサヒ江戸前〉

わたしのビール好きは父親譲りである。わたしの兄は幼稚園児のころ、博多から東京へ転居する際の送別会で、父親の悪友たちにビールを飲まされ、へべれけになったという。それより小さかったわたしに飲ませるほど、彼らが悪趣味だったとは思いたくない。父親と悪友たちはビール工場に勤めていたので、ビールを飲むのが自分の仕事と豪語していた。

この論旨からすると、わたしの仕事は国の予算をとにかく使うことになるのだけれど、けっしてそんなつもりはない。でも、予算の獲得とその消化が、唯一の目的のように働いている役人もいたような気

両親と飲む江戸前ビール

がする。日々をとにかく役所で過ごして給料だけもらっている人と、どちらを責めるべきかわからない。

話はそれたが、根っからビール好きの父親は、息子と飲むために昼過ぎから水分をとらずに待ちかまえている。わたしは、翌日成田発のＳＡＳ（スカンジナビア航空）に乗るために、千葉の実家で一泊することになっていた。やはりビール好きの母親は、初夏は空豆、秋は銀杏、この時期だと千葉特産の落花生をつまみに用意しているはずだ。

思った通り用意してくれていた「新豆」のレッテルつきの落花生をむきながら、三人で「アサヒ江戸前」を飲んだ。

〈キリン一番搾り〉

天気予報に脅されていたとおり、翌日の関東地方は大雪に見舞われた。成田空港が機能しているかどうかは確認できないが、とにかく同行の仲間と空港で落ち合う約束だった。ＪＲ成田線は線路のポイントが雪の重さで故障してしまい、不通となっている。母の運転する自家用車を試みるが、道路は雪で覆われ、ノーマルタイヤでは滑って危険だ。唯一残っている交通手段は京成電鉄である。

京成電鉄を乗り継いで、時間ぎりぎりで成田に着くと、空港は閉鎖中で、予定のＳＡＳは機材未到着のため五時間遅れの表示がでていた。

時間つぶしに空港ビル片隅のカウンターでビールを飲むことにする。「キリン一番搾り《生》」のメニューに期待してオーダーすると、なんのことはない小瓶を出してきて、大きめのゴブレットに注いでくれた。

結局、その日はほとんどの便が欠航となり、翌朝準備ができ次第飛ぶことになった。出国手続きを済ませたＳＡＳの乗客は、仮入国という怪しい資格で、雪の中を茨城県鹿島まで連れて行かれ、ホテルで一晩過ごすことになった。一泊分の海外旅費返済を求められても困るけれど、一応パスポート上は出国しているし、その分苦労したから許してもらおう。さんざん待たされたあげく、ホテルに着いたのは二十三時頃、フルコースの夕食は胃にもたれるだけだ。ホテルも夕食もＳＡＳが準備してくれたが、調子に乗って頼んだ生ビールは、しっかり勘定書が回ってきて、個人で支払うはめになった。

〈カールスバーグ〉

一日遅れでコペンハーゲンに着き、すぐ乗り換えてストックホルムで一泊する。翌日はルレオというスウェーデンの北方の町まで飛ばなければならない。当初の予定ではストックホルムで二泊してゆっくりするつもりでいたが、雪のせいで慌ただしい行程になった。コペンハーゲン空港の中でカールスバーグ、ストックホルムのレストランでプリップスというビールを飲んだが、疲れは癒えそうにない。

北極圏まで四十キロというルレオの町は、さすがに冷え込んでいた。ルレオ工科大学での仕事は、元気で魅力的な女性研究者が対応してくれたせいか、すこぶる快調であった。

夜には大学の皆さんがレストランに招待してくれて、トナカイの肉とオレンジ色のキャビア、そしていろいろな種類のビールをごちそうになった。スウェーデンでは三種類の強さのビールがあり、強い方の二ランクは酒屋かレストランでしか手に入らないと言う。それまで飲んでいたビールが物足りなかったのは、弱いランクのせいだったらしい。レストランから出ると、さすがに冷え込みが厳しく、夜空には緑色のオーロラが揺れていた。

わたしたち一行の面倒を見てくれた女性研究者は、自己紹介で写真入りの名刺を差し出した。二年ほど前の写真だということで、彼女は恥ずかしそうに、「Old one だけど…」と言ったが、わたしは笑いながら訂正してあげた。「違うよ。Young one だよ」

やっと最初の目的地に着いて、これからというところだが、一休みにしよう。カールスバーグ、プリップスにたどり着くまでに、日本のビールを飲み過ぎてしまった。サッポロ、アサヒ、キリンときたのに、一つ忘れていると怒られるかもしれない。まあ、三通り（サントリー）のビールも飲んだということで、許していただこう。

三　スウェーデンからノールウェー

〈北極ビール（Arctic Beer）〉

ルレオで同行の四人と別れ、朝五時起きで飛行機を三本乗り継ぎ、ノールウェーのトロンハイムに降り立つと夕方になっていた。トロンハイムはノールウェーの昔の首都で、歴史の重みを感じさせる落ちついた町である。

一人でホテルにチェックインし、ノールウェー語のオリンピック中継を見ていると、やたらと寂しさが募り心細くなってきた。翌日は単身でノールウェーの国立研究所に乗り込み、これからの共同研究について議論をし、方向性を決めなければならない。面会相手は研究所の所長で、一ヶ月ほど前にはじめて電話で連絡がつき、無理やりアポイントを取った。

それまで「研究は営業だ！」をキャッチフレーズに走り回ってきたが、ノールウェーまでご用聞きに来るとは思わなかった。いかに共同研究のテーマを売り込み、相手を本気にさせるかは、まさに営業努力にかかっている。

考え始めると滅入りそうなので、ホテルのレストランで早めの夕食を取ることにした。ほかに客のいないガランとした中で、大きめのテーブルに一人で向かうと、なおさらわびしくなる。メニューがノールウェー語なので、ウェートレスに説明を求めると、彼女は恥じらいながら、「わたしは英語があまりできない」と言う。しかし唯一の話し相手をそう簡単に失いたくない。おまけに北欧人らしい透き通るような肌の少女とあっては、寂しくなくても話しかけたくなる。メニューを指さしながら野菜、肉、魚の三つの単語だけの会話の末、魚料理と北極ビールをオーダーした。

ふと、三十歳を過ぎてまだ独身で、翌年スコットランドへ赴任する予定の仲間の顔を思い出した。彼は三年間一人でこんな寂しい夕食を続けるつもりだろうか。以前、わたしがフィリピンに家族を連れて赴任した時には、女房と子供たちの存在が救いだった。慣れない仕事から帰宅して、家族でテーブルを囲み、日本語のくだらない冗談を言いながら飲むサンミゲルが格別だった。

暇そうなウェートレスは、ビールの追加注文に笑顔で応じ、「グッド?」（食事はうまいか?の意味だと思う）などと話しかけてくる。わたしは下心抜きでうれしく思い、北極ビールを飲み過ぎてしまった。

〈フライデンルンド〉

ノールウェーの共同研究の打ち合わせは思いのほかうまくまとまり、ノールウェー側も予算獲得の努力を約束してくれた。そして食事をしながら話を続けようと、所長と二人の研究者がわたしを夕食に誘ってくれた。

下町の川沿いにあるレストランで、タラのぶつ切りのソテーに肝臓のソースをたっぷりかけたノールウェー料理をごちそうになった。脂がのっていながら、さっぱりしている味は、ビールに良く合う。彼らは器用にフォークとナイフを操り、タラの骨を除いていく。わたしは骨にからまっているうまみを無駄にするものかと、骨をしゃぶってから皿の縁に並べていった。

彼らはビールが残っているのに、アーケヴィット（アクアヴィット）という強い酒を注文し、わたしにも飲めと言う。アーケヴィットは芋焼酎の強いもので、ノールウェーではビールをチェイサーにして、グイグイと飲むんだと顔を赤らめた研究者の一人が教えてくれた。この説明で、それまで薄々と感じていた「なぜノールウェーのビールは淡泊なのか」という疑念が氷解した。ここでは、ビールはアーケヴィットの脇役で、個性を主張してはいけない、肩身の狭い存在だったのだ。

そこで飲んだビールの銘柄はフライデンルンドだったと思う。

〈ピルスナー・ウルケル〉

慣れない北欧の地を走り回り、営業トーク全開の一週間を終え、週末をオスロで過ごすことになった。オスロではトロンハイムと違って、日本人観光客を時々見かける。しかし相変わらずの一人の食事は味気なく、ピザを頼めば持て余し、中華料理店で蟹のスープをオーダーすると、蟹かまぼこ入りの怪しい液体が運ばれて来る。

でも、ノールウェーの人々はシャイながらとても優しく、ピザ屋では「複合個人で荻原はダメだったけど、長野があるさ」と声をかけてくれる。ちょうどその日の午前中にリレハンメルでノルディック複合個人が行われ、期待の荻原はメダルを逃していた。その後の団体戦の活躍は知るよしもない。

オスロ市街を歩き回っているうちに夕方になり、疲れてホテルに帰る道すがら、ハイネケンのビアパブを見つけた。路面電車の行き交う道路に面して、入りやすい作りになっている。様々な年代の人々がジョッキを片手に談笑しているのが見える。わたしはカウンターでビールをオーダーして、中央の大きなテーブルにつき、ぐるりと周りを見回した。

国籍不詳のアジア人一人客というのは我ながら場違いに思えたが、誰も気にしていない。二十歳ぐらいの娘さんと父親らしい男性が、ノルディックスキーの帰りらしく、スキーを入り口の横に立てかけ、カウンターでビールを飲んでいる。恋人たちが窓際に座り、頬杖をついて微笑み合っている。若者たちがテーブルを囲み、ジョッキを片手に議論を楽しんでいる。わたしだって日本に帰れば一緒にビールを飲みたい仲間がたくさんいるんだ、と負け惜しみをつぶやくが、寂しさが増す一方だ。

例によってビールで自分を慰めようと、カウンターに行くと、懐かしいボトルを見つけた。チェコのピルスナー・ウルケルである。以前、フィリピンに住んでいたときに、個人輸入して飲んで、すっかり虜になった伝説のビールだ。わたしは、ご当地ビールを讃える主義であるが、青島（チンタオ）とピルスナー・ウルケルに関しては、地元の人に不義理をしてしまう。

わたしは、カウンターでピルスナー・ウルケルのボトルとグラスを受け取ると、走るようにテーブルに戻り、一気に飲み干した。相変わらずのフルーティな香りと、ふくよかな味わいは、それまでの寂しさも居心地の悪さも、すっかり忘れさせてくれた。そう、中年男の感傷気分なんて、その程度のお安いものなのだ。ビールの勢いを借りて走り抜け、何事もなかったように帰国し、またいつものとおり日本のビールを飲むのだ。

〈プリップス〉

オスロのホテルで、いやに荷物に余裕があると感じ調べてみると、お気に入りのコーデュロイのズボンが見あたらない。そういえば、ストックホルムでベッドのマットの間に挟んで、プレスしたまま置いてきてしまったようだ。あきらめるのはもったいないし、オスロの一泊をキャンセルすれば、ストックホルムで取り戻すことができるかもしれない。

あわてて、ストックホルムのホテルに電話をかけ、宿泊日とズボンの特徴を告げ、保管してあることを確認した。今度はＳＡＳ（スカンジナビア航空）の事務所に連絡を取り、オスロ〜ストックホルムのフライトの変更を交渉する。ディスカウントチケットは変更できないという答えを翻すまで、三十分間の議論が必要だった。それからは勢いで、ストックホルムのホテルの予約を取り付け、オスロのホテルを一泊キャンセルし、予定より一日早くストックホルムへ向かった。

ストックホルムでは、ルレオで別れた仲間と合流することができた。わたしにとっては久しぶりの日本語の会話を楽しみながら、伝統的スウェーデン料理を食べ、アルコール度数の高い方のプリップスを飲んだ。

日本に帰ると、職場の仲間たちは、オリンピックとか北欧美人、料理、酒の話を聞きたがり、妬み半分の嫌味を言ってくるだろう。海外出張に限らず出張旅費は単なる権利だと信じている役人もいるらしいから、わたしたちもその権利を行使して遊んできただけと思われるかもしれない。

確かに、旅行を楽しみ、ビールを味わう余裕はあったが、わたしたちは旅費以上の成果を上げたと自負している。スポンサー（納税者）である国民の皆様に還

1994年　スウェーデン　ストックホルム

元できる共同研究を仕込むことができた。それに、わたしだってそのスポンサーの一人なのだ。ほら、ちゃんとビールを飲んで高い酒税を払っている。

四　再びノールウェー

〈フライデンルンド再び〉

ＳＡＳ（スカンジナビア航空）の機内で、わたしは国際的な共同研究に参加できる喜びにほくそ笑みながら、日本のビールを楽しんだ。目まぐるしい仕事からやっと逃れて、束の間の休息を機上で取っている。研究所から行政に戻って二週間ほど経った一九九五年十一月、ノールウェーとの共同研究に参加させてもらっていた。

前日までわたしは自分の仕事を片付けることに精一杯で、渡航の手続きは前任地の研究室の担当者に任せっきりだった。研究所時代から環境研究は感性を磨くことが大事と宣言し、努力してきたつもりだ。しかし、そのままで行政の世界、それも裁判の争いやマスコミの意地悪な攻撃に晒されると、高めたはずの感受性がアダになり、辛さがひどく身にしみる。

わたしたちは、コペンハーゲンとオスロで乗換え、トロンハイムに着き、ノールウェー水理技術研究所の研究者たちとゆっくりと夕食を楽しんだ。北欧の落ち着いた街にいると、慌ただしい日本の仕事が違う世界のことのように感じられた。二年ぶりに会うバスキン所長とペール研究員、そして初対面のカールステンス教授も常に笑顔で、冗談をふんだんに盛り込んで相手をしてくれる。

再会したペールは、ビールとアーケヴィットで頬を赤らめ、おまえと同じぐらいの年の日本人が、一ヶ月ほど自宅に居候していたぞと話し始めた。なんでも釣りキチで、滞在中毎日のように川釣りを楽しんでいたという。まさかと思いながら、その名前を質すとGOという研究者だという。思わず、ええっ？　と叫んでしまった。わたしの大学時代の研究室仲間にGOと呼ばれる釣りキチ教授がいて、まさに彼が居候をしていたのだ。世の中は狭いし、縁というか、運命というか、不思議な偶然があるものだ。

帰国すればまた、追い詰められた状況で仕事をこなし、なんでも至急整理しろとせっつかれるのだろう。そんな仕事のやりかたが、他の国で通用するのだろうか。ノールウェーのフライデンルンドを飲んでいると、気持ちが大きくなってきた。よおし、日本で上司に「至急整理」と言われたら、「男にはシキュウ（子宮）もセイリ（生理）もない。膀胱（暴行）ならあるぞ」とこぶしを振り回そう。

〈リングネスビール〉

ノールウェー水理技術研究所における研究交流のセミナーを楽しみ、ホテルに戻ると、ロビーに見覚えのある姿を見つけた。一ヶ月ほど前に札幌で行われた魚道のシンポジウムで会ったばかりの、北海道大学の研究所所長とノールウェーの魚類研究者だった。二人はわたしたちの噂を偶然聞き付けて会いにきてくれたのだ。彼らも別な共同研究をトロンハイムで行っている最中だと言う。ひょんな再会を喜んで、長身のノールウェー研究者と握手を交わした。握手をしながら、思わず地球は小さいねとつぶやいた。

今回の研究交流は、積雪寒冷地の国土保全と環境保全に関するもので、北国の安全で豊かな水辺のありかたを幅広く検討することが目的だ。ノールウェーで「水辺」というと、フィヨルドとそれに流れ込む河川のイメージが強い。日本とは、自然条件も社会条件も大きく違っている。でも、川面にかぶさる雪、水辺に成育する落葉広葉樹を見ていると、北海道を思い出す。その前年の夏に、突発的な出水により土石流災害と洪水災害が起こったと聞き、災害も日本と似ていると感じていた。

雪の中の被災現場を視察した後、電車とタクシーを乗り継いでリレハンメルに辿り着くと、あたりは真っ暗になっていた。二年前にオリンピックの選手村として整備されたホテルは、木の薫りが漂う落ち着いた佇まいだ。フロントのおばさんに「日本からのスキー選手団が只今到着したよ」と声をかけると、「残念だったね、とっくにオリンピックは終わっちまったよ」と切り返してくれた。

ソーセージとジャガイモがメインの夕食を、リングネスビールと白ワインとともに楽しんだ。ノールウェー人にしては背の低い可愛らしいウェートレスが一人で料理とビールを運んでくる。ありがとうと声をかけると、ゆっくり楽しんでと優しく微笑む。

こんなに意思の疎通は簡単なはずなのに、使い慣れた言葉でも相互理解が難しいのはなぜだろう。わたしたちは日本に帰ってからも、攻撃的なマスコミ相手に、限界を感じながら説明をし続けるのだろう。当時は、公共事業に対する批判がとても強く、わたしたちは理解し合える可能性を悲観しながら対応していた。

でも地道な努力なくして、相互理解は生まれない。下手な鉄砲も数撃ちゃ当たるも八掛、当たらぬも八掛、当たって砕けろ。

〈カールスバーグ〉

久し振りにありついた米の飯に、同僚の研究者たちはビールを飲むことも忘れてがっついている。とにかく米飯だと言い張る仲間の要望に応え、以前一人で入った中華レストランを探し出し、六人で円卓を囲んだ。侘しかった前回と比べ、仲間と騒ぎながら取り合う中華料理は格別だ。チキンとカシューナッツの炒めものが、ビールにはもちろん、アーケヴィット(ノルウェーのいも焼酎)にもよく合う。中国人のウェイターがサービスしてくれた山盛りの米飯をすっかりたいらげて、みんな満足そうにアーケヴィットで仕上げをしている。

研究所を離れてから、こんな形でノールウェーを再訪できるとは思っていなかった。わたしは運命論者ではないけれど、流れに導かれたようにも感じられる。地道な積み重ねと協力してくれる仲間、そして熱意を理解してくれる海外の友人たちの応援が流れを作っている。ちょっとカッコつけ過ぎかな。ワガママのごり押しとすぐ悪乗りする仲間、好奇心旺盛な海外の友人たちと言い換えたほうが正解だろう。いずれにしろ、流れの中でわたしたちは有意義で楽しい時を過ごし、この研究成果は日本とノールウェーで活かされていく。

オスロからの機内で隣に座った上品な中年女性は、在中国ノールウェー大使館の外交官婦人で、北京に帰るところだと自己紹介した。話を進めるうちに、トロンハイムでお世話になったカールステンス教授とは幼馴染みで、良く知っていると言う。彼の顔写真入りの名刺を見せると、あらま髪が少なくなって、と笑った。

乗り継ぎのコペンハーゲン国際空港のラウンジで、カールスバーグをジョッキで飲み、満ちたりた気分を味わった。世界は狭いし、時に流されながらも、流れの中で何かの繋がりを感じることがある。それをチャンスもしくはツキというのかな。その頃はやりの「気づき」とか「共時性（シンクロニシティ）」の方向に暴走する脳味噌を、カールスバーグは冷やすどころか焚き付けるようだった。

流れや繋がりを感じるためには感性を豊かにして、心安らかにしていなければならない。あくせく働いてばかりでは、流れを見失ってしまう。もちろんビールはリラックスするために有効な手段だよ。だから、いつもビールを飲むし、その流れを仲間に伝えるためにビール紀行を書いている。などとご都合主義の理屈をこじつけ始めた。我田引水、自画自賛。

北欧から帰って、毎日の仕事に追われるようになっても、いつものように美味しくビールを飲む工夫を続けるだろう。運動したり、水分を控えたり、つまみを選んだり、家族と

ノールウェーからの機上で　不思議な縁

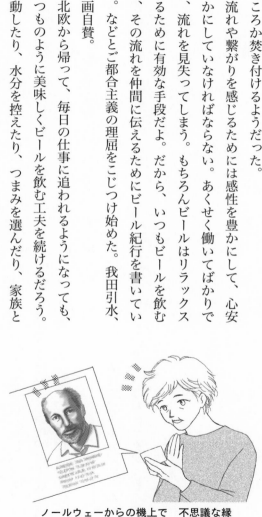

の会話を楽しんだり。そして一緒に飲む相手探しも重要だ。どうせなら若く美しい女性が良いと、挨拶のついでに「ビール飲みに行こう」と声をかけるようになったのは、三十歳を過ぎてからだったっけ。おじさん臭いけれど、時々「いつになったら本当に連れていってくれるの?」と答えてくれる優しい娘がいるから嬉しい。

気の合った仲間と、願わくば若い娘と一緒に笑い合いながら飲めば、ビールの銘柄なんかこだわらない。いずれアヤメかカキツバタも笑窪。立てばシャクヤク座ればボタン、歩く姿はユリの花、深酔いすればオジギソウ。

第三章　一九九四年～二〇〇六年　日本国内でもビールを堪能する

一　釧路のビール

〈釧路のおでん屋さん〉

環境に関わる研究のテーマとして釧路湿原を対象とし、頻繁に釧路を訪れるようになったのは、おでん屋さん「B」と「T庵」のカキソバのせいだけではない。もちろん釧路に行くたびに必ずその二箇所に寄り、共同研究者や現場の方たちと食事をしながら議論した。泥まみれになり汗を流した後のリラックスできる時間も大事にしたい。その上、美味しいものを食べることができれば、なおさら幸せだ。

おでん屋さんのかぎ型に曲がったカウンターで、仲間と並んで飲むビールは、普通の瓶ビールとはとても思えないような美味しさだった。突然立ち上がっておでん鍋を覗き込みながら、「ガンモとフキとコンニャク!」と叫ぶ仲間がいる。トウフにカラシをぬり過ぎて涙目になってビールを喉に流し込む現場の若者。皿に残ったおでんのだしを大事そうにゴクリと飲み込む大学院生。カウンターの上では小さな炉に炭が赤く燃えていて、生干しのコマイが香ばしい匂いを漂わせていた。

O助教授は、ぬる燗に頬を赤く染めながら、研究と行政の連携の悪さ、現場と上部組織の

認識の違いを指摘した。「いくら研究者として解決策を提案しても、それが行政に反映されるのに何年かかるんだ？　だいいち、おまえらの問題意識を現場が理解していないじゃないか。へたすると、俺たちはコンサルタントの下請けみたいに使われちゃうんだよ」でも、そういう状況を悲観しても始まらないこともちゃんと分かっている。だから解決策を提示するための議論が必要なんだ、とビールの酔いを借りて悲観論をねじ伏せていた。

　私たちは国民のためと信じて、狭い目的に偏りながら仕事に邁進し、それが今日の問題を大きくしてきたのかもしれない。そこが問われているわけで、「精一杯努力したのに」で済む問題ではないのだ。刻苦勉励、ベンレイシュクシュク夜河を渡る、船頭多くして船山に登る。その前に変わらなくちゃ。

　カウンターの逆サイドには若い素敵な娘さんが、お父さんと一緒に、お母さんの誕生日を祝っていた。お母さんはとても楽しい方で、わたしたちは酔いに

釧路のおでん屋さん

任せて話しかけ、いつの間にか、議論をそっちのけで盛り上がっていた。その娘さんが研究室の若者と一緒になるなんて、その時は想像もしていなかった。

〈ホテル最上階のバー〉

釧路の夜景を見下ろすホテルのバーで、連れの若い女性が突然泣きだした。おでん屋でさんざん飲んだ後だからといって、酔いに任せてどうこうしようとしたわけではない。わたしと若い研究者たちは大いにうろたえた。疑いのまなざしを投げかけるウェートレスや他の客たちを意識しながら、必死でなだめた。「別に君の才能や技術を安売りさせようとしたわけじゃなくて…、お互いに足りない部分を補いあえば、良い仕事が…、これから連携が重要だよね…」

その女性は、アフリカから一年程前に帰ってきた研究者の卵で、新しいプロジェクトの企画を担当してもらっていた。彼女は海外の緑化の技術協力に参加することを目指し、アルバイトをしながらチャンスをうかがっていたので、企画立案をお願いしやすかった。

君ならば良い企画ができる、フリーな立場の人に頼めば公平、公正なコンセプトが生まれるし、経済的だと説明していた。どうやら、その「良い仕事を経済的に」、というところで悲しくなったらしい。自分の将来が不安な上に、安易に安い仕事に利用されたことが不満だったのかもしれない。

わたしたちは、環境研究の成果を行政に生かし、地域に広め、その上地域の子供たちと楽しもうというプロジェクトに夢中だった。それを実現するためには、今までのありきたりの手法にとらわれず、手作りらしさを強調したかったのだ。それが、こんな形で若者を傷つけるなんて。

彼女の涙はおさまったけれど、周りのお客さんは聞き耳を立てて、成り行きを気にしているように見えた。壁に耳あり障子に目あり、触らぬ神に祟り無し、触る男は叩かれる。おっとっと、私は慰める過程でも、けっして指一本触れていない。「ごめんなさい。ちょっと酔っちゃって」と恥ずかしそうに微笑む彼女は、再びアフリカに送るには頼りなく見えた。

環境問題は世界の問題だけれど、足元からの努力の積み重ねが必要なんだ。自分の国で自分たちの力で、生活も仕事も遊びも全てひっくるめて努力しなきゃならないんだ。そのために、君に協力してもらっている。わたしたちは釧路の夜景を肴に、とどめの生ビールで酔った頭を空回りさせながら、彼女を元気づけようとあがいていた。

〈花咲かじいさんプロジェクト〉

ホテルに残してきたメッセージを見て、自然体験プログラムの達人がおでん屋さんに駆けつけてきた。彼女が座るのも待ち切れず、グラスを渡しビールを注いで乾杯した。待っていたと言いながら、みんなは赤い顔をしてほとんどできあがっている。彼女はおでん屋さんのマナーに則り、すっくと立ち上がり、鍋をのぞき込みながらハンペンとワラビを注文した。緑づくりの達人、自然観察の達人、カヌー遊びの達人、子供たちを引き付ける声を持つ研究者の卵が集まった。優秀で楽しい研究室の仲間たちも。そしてわたしは、自分では何もできないくせに、達人たちを利用して成果を独り占めしようとしている、無理強いの達人。

翌日は「花咲かじいさんプロジェクト」という、人を小馬鹿にしたような名前のイベントを企画しており、達人たちはそのために集まってくれた。地元の子供たちと釧路湿原で自然観察、自然体験ゲーム、カヌー遊びを楽しみ、その上みんなで釧路らしい緑づくりをすることになっている。簡単に言えば、子供たちをさんざん喜ばせておいて、最後は労働力として利用しようという企画だ。その上、子供たちをダシにして大人たちが集まって、前の晩からビールを飲んで大いに楽しんでいる。

少なくとも集まったみんなは、環境問題の深刻さ、重さを充分理解している。けれども、その分野で貢献し、成果を出すためには、時間をかけて楽しみながら努力しなければならない。桃栗三年、柿八年、梨のバカヤロ十六年、柚の大馬鹿三十年、人に至って実りなし。せいぜい楽しまなくっちゃ。

二　公僕のビール話

一九九五年、研究職から行政の仕事に戻ったわたしは、ストレスが溜まって、ビールの飲み方が荒れていたような気がする。職場では、公共事業に疑問を持つ方々や、その声に動かされているマスコミとの対応に疲れていた。事業ありきの説明はアリバイづくりだと批判され、計画の検討段階での説明は、組織としては許されなかった。現場では、本当に良い仕事をしているはずなのに、地域の方々の理解を得る難しさを痛感していた。

そんな時でも、家に帰るといつものように風呂で汗を流してから、家族でテーブルを囲み、ビールで乾杯をする。わたしの子供たちは、大人はビール、子供は麦茶でカンパーイ！とコップをぶつけ合って、夕食が始まると信じ込んでいた。これは、ビール飲みの家庭の常識

だと思うけれど、社会一般に通用するかどうかは、よく分からない。

〈公共事業が嫌いな人々〉

わたしはダム事業を担当している公務員として、反対集会になど出るつもりはなかった。しかし、その主催者である大学教授が、前日に電話で出席を要請してきた。ダムに反対する者の集まりであるが、議論を公平にするために、事業者側も出席して欲しいと言う。事業反対の意思表示を前面に出して人を集め、前日に電話で事業者側の出席を促す状況で、公平な議論になるのだろうか？　でも、出席を約束した。逃げるのは嫌だった。

当日、その教授とダムの予定地近くに住む文化人との対談から、集会が始まった。出席しているのは、もちろん自然保護関係者など、ダム事業に反対する方々ばかりだ。その中で、わたしだけが居心地悪くうつむいていた。

さんざんダム建設の問題をあげ連ね、議論を盛り上げた末、教授はわたしに初めて気がついたふりをした。「あっ、事業を担当する組織の方が見えていますね。ちょうど良いので、事業者としてのお考えを聞いてみましょう」こういう場面は何度も経験しているが、決して気持ち良いはずがない。敵意に満ちた視線を一身に浴びながら、立ち上がった。

わたしは、皆様の住む河川流域を安全で豊かにするために公共事業を進めている、という大前提から話を始めた。そして、ダム建設の必要性をわかりやすく簡単に説明するよう心がけた。その基本計画は地方議会で議決され、知事の承認をいただいている。だから、国民の皆様のご理解を得た事業と認識しており、それを国民の皆様に替わって進めている、と当たり前のことを述べた。

しかし、参加している方々は、公務員は税金を使って無駄な事業を進め、業界を潤しているだけと信じているみたいだ。わたしの説明したことについて、裏付けも無しに疑問を差しはさみ、ダムは不要と言い続ける。あげくの果て、地方議会議員は土建屋の社長ばかりだから、その議決は民主主義に則っていないという意見まで出てきた。

わたしは、理解し合うことは無理だと諦めたくなった。しかし、今まで説明不足だったかもしれないので、それについては改善していくと約束した。公共事業の必要性について、きちんと情報公開する。多くの方々のご意見を広く聞く。計画段階から議論を深めたい。

その会議で最も驚いたことは、「国民のために働いていると公言した公務員は初めて見た」と言われたことだった。当たり前のことだから、わざわざ言う人がいないのか。照れてしまって言いづらいのだろうか。

そんな経験についても、食卓を囲んでビールを飲みながら、笑える話題にして家族に伝えるようにしていた。子供たちが興味を示さなくても、話さずにはいられなかった。時々、女房や子供たちからドキッとするような疑問を投げかけられ、市民の素朴な気持ちに気づくこともある。

〈ホロヒラみどり会議〉

現場の事務所勤務になった時、わたしは市民参加と合意形成の試みとして、ちょうど良い機会を得た。札幌のど真ん中を流れる豊平川で堤防強化を行い、その一ヘクタールほどの斜面の利用計画をまとめなければならない。ここは市民の注目を浴びる場所で、中島公園と豊平川を結ぶ緑の回廊としても重要だ。

この計画については、行政内部でも「博物館を建設しろ」、「公園にすべき」、「自然な緑地に」など意見は様々だった。広く意見を聞けばなおさら発散するだろうことは、容易に想像がついた。しかし、だからこそ市民による合意形成が必要だ。

一九九九年四月に「ホロヒラみどり会議」を立ち上げた時、わたしたちは市民の代表と専門家を集めて議論を進めれば良いと考えていた。慎重に人選を行い、最初の会議を開いたが、メンバーから異論が出た。役所が選んだメンバーは市民の代表ではない、もっとオープンに進めるべきだ。そこまでこだわらないと、合意形成の過程に疑問をさしはさまれると指摘された。

それからは、わたしたちも開き直った。「来るもの拒まず、去るもの追わず」をモットーに、3歩進んで2歩戻る議論を覚悟する。できるだけ現地において、多くの人に呼びかけ、楽しみながらいつ収束するか分からない議論を続けた。

二〇〇〇年五月までに、六回の会議と現地でのイベント、ワークショップなどを積み上げ、幸い議論はまとまったが、その過程は楽しくも、波乱だらけであった。事務所の担当者は大変だっただろうけれど、根気よく市民の意見を聞き、疑問に答えた。意識の高い市民が少しずつ集まり、一緒になって苦労してくれた。

議論の過程で、大きな危機が三回ほどあった。まず、ある新聞で「既定のレールに誘導する…。論議の後に制約条件を持ち出され、はしごをはずされた…」と批判された。そして、(ある事業の問題で)「住民の心に刻まれた不信感を払拭するのは容易ではない」とまで書かれてしまった。わたしは記事を書いた新聞記者に、事実と異なる点があると反論した。それ以来、彼は一市民として会議に参加してくれるようになった。

次の危機は、企画運営に携わっていたメンバー間の意見の食い違いであった。もっと広く市民を集め、一からの議論を大事にしようという意見と、素人の市民がまっさらな状態から議論を続けても前に進まないから、具体的な案を作ろうという意見が対立した。これについてメンバー間のメールによる議論の末、営業努力を強化し、少しずつ具体的な案を作っていこうという合意に至った。

三番目の危機は、議論が進み、やっと具体的な複数の案が出され、投票寸前の場に突然訪れた。近隣の町内会長が見えて、自分たち抜きで議論が進んでいると怒りを露わにした。その町内会長のところへ会議の案内や広報資料が行き渡っていなかったようだ。会議としては、急遽投票を取りやめ、振り返りワークショップを開き、計画案を再度募集して投票することを決めた。

そのような波乱を乗り越え、二段階投票により、まずは「自然系」の案に絞られ、次に「森＋草っぱら」案が採択された。あわせて、「住民の手で植林する」、「中島公園から来る鳥のえさ場になる」、「手入れを少なくし、税金を最小限に」、「森のできる過程を子供たちに見せたい」などの意見が支持された。そして、「ホロヒラみどりづくりの会」を作り、今後とも市民が緑づくりと維持管理に積極的に関わっていく決意が表明された。

2000年

2021年

ホロヒラみどり会議　市民参加の森づくり

市民参加、情報公開、アカウンタビリティーという言葉が氾濫している中で、実践した意義が大きいとわたしたちは自負している。事業を理解し、応援団になってくれる市民がいた。組織の中にも理解者が増えたはずだ。事務所の職員も、議論の過程を楽しみながら努力を積み上げてくれた。

議論を一緒に楽しんだ市民と専門家たちは、戦友のような親しみを持つようになり、一緒にビールを楽しむ機会も増えた。市民の作った森はホロヒラタイと名付けられ、立派に育っている。

役所では、ついつい予算の確保とトンカチ仕事が目的みたいに走る傾向があるけれど、ちょっと立ち止まって足元を見つめてみよう。現場には、たくさんの可能性がひしめいている。そして、その可能性を一緒に育もうとしている市民が周りにたくさんいる。

そう考えるのは、あまりにも楽観的で青臭いかな？

三　画家とビールを

〈サッポロクラシック生〉

「石狩川の廃船を取材に行きたいのだが、撤去するというのは本当かね?」画家を名乗る男性の貫禄のある声が、受話器から問いかける。わたしは、朝からずっと同様の問い合わせに対応しており、うんざりしていた。「はい。安全上、衛生上の問題のため、地域の方から強く要望されており、七月中には撤去せざるを得ません」「撤去する前に是非取材をして、絵として残したいのだが…」

一九九八年の初夏、長年の懸案だった石狩川の廃船群の撤去に向けて、河川事務所は着々と仕事を進めていた。事務所の仲間たちは撤去する方向で意欲的に働いていたが、上部組織には問題点を指摘するだけで、先送りしたがる人も多かった。

石狩川沿いに残された十七隻の廃船群は、独特の哀愁をかもし出す風景として全国的に有名だった。その一方で、廃船の腐朽が進んでいて、子供たちが中で遊んで危険だ、釣り人が中で焚き火をしてボヤを出した、という苦情が相次いだ。また、ネズミが繁殖して、衛生上の問題も指摘されていた。

「本来、このような河川区域に存在する、危険で衛生上問題のあるものは、持ち主に撤去していただくことになっています。しかし、この廃船群は所有者が不明で、困っているのです」廃船群が残された河川区域を管理するものとして、事故などを未然に回避するため、税金を使ってでも撤去せざるを得ない。その数年前に近隣の造船所が移転、解散しており、船の所有権を主張する人はいなかった。

しかし、河川管理者として廃船撤去に踏み出すためには、解決しなければならない問題が三つあった。地域の方々が納得すること、廃船群の文化的価値を大事にする方の理解を得ること、廃船について報道しているマスコミにも誤解の無いよう対応すること。

1998年　石狩川廃船群
（写真提供：齋藤清さん）

この三つの問題解決について、石狩市長に相談すると、すでに道筋はできていた。それまでに廃船の問題でずっと苦労されてきた助役が、きちんとお膳立てをしてくれていたようだ。市長は、地域の問題として是非とも撤去したい、市として予算を準備することも考えている、河川区域にあるものなので、管理者の意向を聞きたいとおっしゃった。撤去に向けて「お別れの会」を市が主催する予定であり、その市議会議決を経てマスコミに発表する予定も組まれていた。

画家の齋藤清さんは約束通り、廃船の撤去直前に現地を訪れ、また電話をしてきた。「いやあ、廃船群をじかに見たら、鳥肌が立ったね。浜の生活と船の歴史が、ここに凝縮されているんだよ。撤去するのはしようがないけれど、オブジェにして、是非とも残したい」興奮した声が、受話器からあふれ出てくる。わたしは、なぜか齋藤さんに会いたくなった。行政としては、深入りすべきではない問題かもしれないが、わたしはここで会わないと大事なものを失ってしまう気がした。

その晩、サッポロクラシックの生をジョッキで飲みながら、すっかり齋藤さんのペースにはまりこんでいる自分に気がついた。昼に会って意気投合し、彼の泊っているホテルのビヤホールでビールを一緒に飲むことになった。「あれはね、画家がこねくりまわしたらダメなんだ。そのまんまを工夫して展示するだけで充分」同席しているわたしとホテルの支配人を前に、独演会状態である。

わたしは齋藤さんの熱意に答えて、廃船をオブジェなどの作品に利用する手助けをしたいと思った。はじめは単なるゴミにしか見えなかった廃船の破片が、彼の解説で美しく輝いて見えるのが不思議だ。撤去工事に合わせて、廃船の一部を取っておき、石狩市の好意で分けていただくことにすればよい。

マスコミの出方次第では、地域の文化を破壊する者という汚名を着せられかねない追い詰められた中で、少しでも夢を残しておきたかった。廃船処理で非難を浴びたとしても、負けても実をとる「敗戦処理」の切り札にするのだ。

〈軽井沢高原ビール〉

長野新幹線に揺られながら、女房と二人で車内販売の軽井沢高原ビールを飲んだ。地ビールらしいフルーティな香りが印象的だった。季節はずれの夏休みをやっと取り、子供たちと一緒に家族旅行に繰り出した先である。と言いながら、目的地は仕事で知り合った齋藤さんのアトリエだ。

齋藤さんが来道した際、作品を紹介した画集と絵はがきをいただいた。作品は日本独特な情景や民具、草花をモティーフとしていて、シンプルでありながら力強く美しい。彼独特の手法を用い、板の上にいくつかの色の絵の具をおき、黒で塗りつぶした上から削りこんで描くらしい。一つ一つの作品に見入ると、その瞬間に時間が止まり静寂に包まれ、懐かしい思い出が浮かび上がる。彼の画集には、浜辺に横たわる木造の漁船も描かれており、廃船にこだわる理由が分かる気がした。

わたしは、齋藤さんの魅力的な作品が生まれてくるアトリエを是非とも見たかった。彼は、どうせなら家族でいらっしゃい、案内するからと招待してくれた。わたしは、子供たちにも芸術に興味を持ってほしかったので、学校には法事だからとウソを言って休ませた。

日中は齋藤さん自らの運転で、近隣の山、ダム、博物館を案内していただき、夜はホテルの座敷で宴会となった。彼の友人である地元の方々が集まり、歓待してくれる。名刺をいただいてみると、色々な職種の責任ある立場の人たちだ。でも、皆さん気さくで愉快な方々ばかりで、宴席は大笑いが続いていた。わたしはビールを飲み過ぎ、齋藤さんと長野の名士たちは日本酒を止めどなくおかわりをした。

長野までうかがって、齋藤さんの作品の持つ、静かでありながら心を高揚させる力の源を垣間見た気がした。彼の研ぎ澄まされた感受性と図抜けた構成力によって、あの風景や民具などの宝物が、作品として生まれ変わる。そして、作品を生み出すエネルギーは、長野の奥深い自然や楽しい仲間たちとの交歓により育まれているようだ。
娘と息子は、彼の作品に感動し、アトリエがとても気に入ったと言う。でも、彼の有り余るエネルギーに圧倒されて、まわりの人たちは疲れるだろうと声をそろえた。わたしの見た限りでは、まわりの方々も負けじと、次から次へとお銚子を征服しながら、エネルギーを一緒になって発散していた。

〈ミレニアムビール〉

二十世紀最後の年を祝って、札幌の老舗ホテルのビヤホールでは「ミレニアムビール」を売り物にしていた。これは、なかなかコクがあって香り立つようなビールだった。齋藤さんは毎度のように、まずは生ビールで、その後熱燗と決めていて、一杯目のミレニアムビールを美味そうに飲み干した。彼とのおつきあいも三年目になり、いつもの場所でいつものように盛り上がっている。
廃船撤去の大騒ぎは、いつのまにか世の中から忘れられていた。齋藤さんに監修してもらった展示物に対して、いくつかのマスコミの取材もあったし、彼に同行した放送局ディレクターは特別番組の中で扱うことを決めていた。

少なくとも川の博物館に廃船の舵が残されることになったし、市役所もいくつかの部品を引き取ってくださった。それ以上広げることができるかどうか、自信はなかった。ミレニアムビールを飲みながら、齋藤さんにそう告げると、彼は明るく答えた。あせることないよ、ヨシちゃん。気長にいこう。

齋藤さんは、持ち帰った廃船の部品を、オブジェに仕上げてきたといって、ホテルの彼の部屋で見せてくれた。その作品は、とてもシンプルだが、見れば見るほど味が出るものだった。それは、黒い板の上に船腹の壊れた部分を貼りつけただけである。年代を経た木片に太い曲がった釘が刺さっている。剥げかけた塗料の緑と白が、錆びの赤色とともに、くすんだ木片の上で馴染んでいた。その微妙な色加減が、黒い板の上で浮かび上がって見える。

わたしはつくづく、よく齋藤さんとめぐり会えたものだと思う。あの時、マスコミの対応に大わらわの中、彼の電話が飛び込んできたのだ。そのほかにも、栃木県の写真愛好家のおばさんとか、廃船を見ながら一句をひねりたいという奈良県のお爺さんも、撤去を待ってくれと言っていた。そんな中で、彼の声になにかを感じたのだろうか。

初めにそれを指摘したのは女房だった。廃船撤去の対外対応で疲れ果てて帰り、家族で夕食を囲んでいた時のことだ。ビールで一息つきながら、大騒ぎの状況を説明すると、女房は

2021年　石狩川Ａ（齋藤清さんの作品）

不思議そうな顔をして聞いた。なんで、写真愛好家のおばさんや俳句好きのおじいさんではなくて、画家の齋藤さんに会うの？　それが公平で、みんなのためになるの？

　いずれにしろ、舵の作品は川の博物館に残っているし、「石狩川Ａ」と名付けられた船腹の切れ端は、札幌市内の老舗ホテルに飾ってある。まだまだ、どこかで驚くような名作に出会うかもしれない。

四　霞ヶ関と地方のビールの味

〈行政不適格者の烙印〉

二〇〇四年九月七日の晩、北海道に台風が近づいていたが、わたしは帰宅して風呂に入り、家族と食卓を囲みビールを楽しんだ。仕事がら災害時には職場に拘

束されることが多いので、ゆっくりできるときは英気を養っておくべきだ。翌日、仙台で国土交通省が主催する会議が予定されていたが、飛行機が飛ぶかどうかは怪しかった。

台風は予報通り勢力を保ったまま北海道に近づき、翌朝は暴風雨がひどくて交通も大混乱だった。わたしは地下鉄で職場にたどり着き、災害対応に追われながら、行けるかどうか分からない仙台の会議資料を準備した。会議には、北海道庁の担当課長も出席する予定だったので、連絡を取りあった。

暴風雨はさらに強まり、ＪＲは全線不通、高速道路は通行止め、飛行機の運航も危ぶまれる状況なので、わたしは出張を諦めることにした。仙台の会議よりも北海道ですでに始まっている災害対応に専念すべきだと判断した。

しかし、河川事業関係を統括している先輩課長にその判断を伝えると、頭から怒られてしまった。国土交通省河川局の幹部も出席する大事な会議なのに、はなから出席を諦めるような者は、河川行政不適格者だと言い切る。彼は当たり前のように、この会議に勝る優先順位を持つ仕事はないと断言した。

わたしは納得できなかったが、面倒くさい官僚と言い争うことこそ時間の無駄だと割り切った。ＪＲも高速道路も不通なので、一般国道を利用する他に手立てがない。わたしは公用車を手配し、北海道庁の担当課長と一緒に千歳空港に向かった。

不通になっている道路を迂回しながら、いつもの三倍の時間をかけて空港にたどり着いたものの、悪天候のため予定のフライトは飛ばなかった。会議の予定されている時間を過ぎてしまったので、わたしたちは空港からバスに乗り、夕方遅くに札幌に帰り着いた。札幌の中心部は、暴風により街路樹がそこかしこで倒れていて、交通が滞っていた。

職場に着くなり、やはり無茶な試みだったと先輩課長に報告すると、良くやったと褒めてくれた。彼が言うには、霞ヶ関に対して誠意を見せたから、それだけで成果があったのだそうだ。

わたしは、霞ヶ関への誠意を最優先するのが河川行政官ならば、喜んで不適格者の道を選ぶ。そんなことよりも、状況に応じて、優先順位をつけて判断し、最善を尽くす公僕を目指すべきだと信じている。

でも、面と向かって「不適格者」の烙印を押されたショックは大きく、立ち直るのには数日かかった。毎晩飲むビールと家族との会話が、少しずつわたしの心を癒やしてくれたが、釈然としない気持ちは消えなかった。

〈霞ヶ関の怒れる名物課長〉

わたしが国土交通省の担当課に駆けつけると、課長席の前に三人の部下たちが直立し、激しい叱責を浴びていた。わたしは別な用事で霞ヶ関に出張していたのだが、その用事をキャンセルして直行しろと携帯電話で命じられたのだ。わたしが顔を出すと、怒鳴り散らされていた三人は安堵の表情を見せ、その課長は、待っていましたとばかりに矛先をわたしに向けてきた。

北海道は何をやっているのか？　何の説明もなしに、事業を勝手に継続するつもりか？　君たちはそのような大事なことを知らなかったのか？　いつも何を指導しているのか？　彼は、答えようのないことを承知で、怒りを私にぶつけ、腹いせをしているようにも見えた。

北海道が補助事業として進めているトンネルの事業費が、予算内で収まらなくなってしまった。そして、その説明がなされないうちに、北海道議会で問題になり、国土交通省はマスコミを通じて知ることになった。わたしたちは、国土交通省の出先機関で、その補助事業を担当していたので、国と北海道の間に挟まって怒られる役回りだ。

国土交通省は、北海道としての説明と謝罪は、正式に知事からするべきだと求め、北海道の担当課はなるべく簡単に収束させたがる。そんなことの調整でもわたしたちは間に挟まれ、右往左往することになった。

また、国土交通省は北海道に大きなペナルティーを科さねばならぬと、無理難題を押しつけ、北海道はもちろん逃げたがっている。どちらからも嫌がられ、思うとおりにならない不満は、全てわたしたちが受け止める宿命だ。

こんなややこしい話は、電話やメールで済むはずもなく、わたしは他の用事も含めて週二、三回東京出張をするはめになった。毎度家に帰ると疲労困憊して、ビールをがぶ飲みし、家族との夕餉でも愚痴が多くなっていたはずだ。

数週間の東京往復の折衝を経て、なんとか事業の継続を認めてもらう目処がついた。トンネル事業の残事業費の全てを対象に、徹底したコスト削減を図り、全体事業費の一〇％減を目指すことで、国土交通省は了解した。しかし、その前提として、計画変更の必要性の確認、技術的な妥当性の確認、変更増額の審査などについて第三者が行うことを求められた。つまり、間に挟まったわたしたちが、第三者にお願いして、これらを審査して認めてもらわねばならないのだ。それも、期限を決められ、二週間で全て答えを出せと迫られた。

名物課長は無理を承知で、厳しい条件を設定したらしいが、その時わたしは、完全にアドレナリンに支配されていた。国土交通省道路局からは頭ごなしに怒られ、後ろからは反撃する流れ弾が、わたしたちに向けて飛んでくる。わたしは、すっかり開き直って、どちらとも闘う臨戦態勢に入っていた。

短時間で難題を解決するためのコツは、各分野の達人を見つけ出して、味方につけることだ。とにかく人づてに優秀な方々を訪ね、お願いして回った。トンネル計画変更と技術的な妥当性の裏付けは、開発土木研究所のベテラン研究者と、道路公団の伝説の技術者に頼った。工事費変更増額の審査は、北海道開発局のトンネル専門家が簡単に片づけ、技術力の高さを見せつけてくれた。そして、一丸となってまとめ上げてくれる職場の仲間たちが、なにより も頼もしかった。

国土交通省道路局から授かった全ての宿題を期日までに片付け、説明を終えたが、帰りの千歳行き最終便のフライトには乗ることができなかった。空港でチェックインする寸前に、携帯が不吉な振動で着信を知らせてきた。やっと難題から解放されて、逃げ帰るところだったのに…。しょうが無く電話に出ると、道路局の名物課長からの伝言で、赤坂見附にすぐ駆けつけろという。渋々フライトをキャンセルして、京急と地下鉄を乗り継いで、馳せ参じることにした。

赤坂見附の居酒屋では、道路局の名物課長とその仲間たちが、寛いでビールを飲んでいた。

わたしに電話をくれた霞ヶ関の上司は、良く来たと言いながら、わたしの背中を押して名物課長の前に立たせた。また何かしくじったか、と叱責を覚悟すると、名物課長はすっくと立ち上がる。

怯えるわたしの前で、名物課長は深々と頭を下げ、謝罪の言葉を口にした。君には責任のないことで叱りつけた上、無理難題を押しつけてしまった。申し訳ない。しかし、あの難題をこの短時間で解決したことには正直驚かされた。毎日の残業と東京出張の疲れで、わたしが参ってしまう寸前と聞いて心配していたという。どうやら、わたしに電話をくれた上司は、わたしに同情して、大げさなことを伝えて脅かしてくれたらしい。

わたしは、肩すかしを食らい、恐れ多い謝罪もいただき、反応に困ってしまった。まあ、せっかくの機会だからと、ビールジョッキをいただき、疲れ切った様を演じて座り込んだ。意地になって期限までに無理矢理まとめ上げた仕事を評価してくれただけでも、喜ぶべきことだ。何より、あの強面が頭を下げて謝罪するとは、極めて珍しいことに違いない。

札幌に帰ってから、開放感に浸って飲むつもりだったが、赤坂で怖い方々と飲むビールは苦みが強く感じられ、酔いが早く回ってしまった。最終のフライトを逃したわたしは、慌ててホテルを予約し、開き直ってゆっくりと飲むことにした。

五　ビール呑みの報復

二〇〇五年、わたしは国の出先機関から、北海道庁に転勤することになった。北海道庁勤務は二度目だったし、直前にも北海道と霞ヶ関の間に挟まる仕事をこなしていたので、仕事の内容はおおよそ分かっていて不安感はなかった。道庁内にも知人が多くいたので、仕事帰りにビールでも飲んで仲良くやっていこうと気軽に考えていた。

ちょうどその頃、地方分権、道州制特区が声高に騒がれ、国の権限と予算を地方自治体に移行すべきだとの提案を巡って、せめぎ合いの最中だった。だからこそ、北海道庁勤務の経験があり人畜無害に見えるわたしが、交換人事の人身御供として利用されたのかもしれない。そして、転勤してすぐに知事の判断で職員の給料削減が決まり、わたしの給料も減らされてしまった。

〈許せないイタズラ〉

ビールを飲み過ぎて家に帰り、愛用のショルダーバッグを下ろした時、バッグがパンパンに膨らんでいるのに気がついた。前の職場の仲間との飲み会で盛り上がり、地下鉄とバスを乗り継いで、やっと家にたどり着いたところだ。

不思議に思ってバッグを開けてみると、飲み会で余った枝豆のパック詰めと、テーブルナプキンで包んだ木製の塩入れが転がり出てきた。塩入れは、胡椒のミルとセットのもので、飲み会のテーブルの上にあったような気がする。すぐさま、同席していたイタズラ大王の仕業だと直感した。イタズラ大王は、わたしの転勤前の職場の同僚で、飲み会で残ったツマミなどを勝手に人の荷物に詰め込むイタズラを繰り返していた。

そういえば、大王は酔っ払って図に乗り、隣のテーブルにいた振り袖姿の女性三人にカラんで、店員から注意を受けていたっけ。その鬱憤を晴らすため、こんなイタズラを仕掛けてきたのかもしれない。食べ残しの枝豆は良いにしても、木製の塩入れを手にしたわたしは、窃盗犯で指名手配されそうだ。

〈イタズラ大王の不審な動き〉

飲み会から一週間ほど経った頃、会議を終えて職場に戻ると、イタズラ大王がわたしを待っていた。わたしのいない間、隣の席にいたN氏と相談をしていたようだ。イタズラ大王は国の職員、N氏は北海道職員と違う立場ながら、二人は大学の同窓ということもあって、とても仲が良かった。イタズラの件を伝えてあったN氏は、わたしがとても怒っているので謝るべきだと大王を諭してくれていたらしい。

しかし、イタズラ大王は、わたしのバッグに塩入れを入れた犯人は、飲み会に参加していたアイツだと個人名をあげた。そういえば、行動がおかしかった、わたしのカバンに手をかけていた、アイツはわたしの反応がなくて寂しがっていると付け加えた。

この言葉を聞いたわたしは、この場に及んでシラを切り、人に罪をなすりつけるのか、と呆れてしまった。どこかで徹底的にイタズラ大王を糾弾しなければならないな、と安っぽい正義感を奮い立たせていた。

犯人は彼だとわたしは確信していたが、念のため、もしくは彼を追い詰めるため、飲み会出席者全員にメールを送り目撃情報を募った。すると、その翌日に彼がまた現れ、お怒りはもっともだが、犯人捜しは良くないと言ってきた。ほとんど自供しているように聞こえる。わたしは怒っているわけじゃないし、古畑任三郎みたいなミステリーを楽しんでいると答えた。あっ、あの番組って、最初っから犯人が明らかにされ、ドラマが展開するんだっけ？

〈追い詰められたイタズラ大王〉

それから一週間後にかかってきたイタズラ大王の電話の声は、非常にうろたえている上に、見当違いの怒りに満ちていた。わたしが彼の名を語って塩入れを送り返したと疑い、そのせいで別な罪まで着せられたと言いつのる。

飲み会が開催された店の支配人から大王宛てに、塩入れを返送したことへの感謝の手紙が届いたらしい。手紙は、封筒と便せんがおそろいで、両方に店のロゴが印刷されている。でも単なる感謝状ではなく、同時期に紛失したクリスタルの灰皿も探しているという。文面は丁寧だが、灰皿も一緒に持って行っただろう？　と疑っているように読めるそうだ。彼は早口で文面を読み上げ、最後に記載されている店名と、高橋春夫という支配人名を付け加えた。

彼は、クリスタルの灰皿まで疑われるとは心外だ、相手がその気なら出るところに出ると言う。すぐにでも店に電話して釈明したい、そのためにも、わたしがどのような手紙を書いて送り返したか、聞きたいと問い詰めてきた。

わたしは、彼がどこに出るつもりか分からなかったが、電話で釈明して大事になることは避けたかった。彼の当時の職場では、いろいろな事故や問題が続いて大変だったと聞いていた。次から次へと起こる職場の問題に彼が翻弄され、そんなときに届いた不審な手紙に、彼の奥さんが気づいて心配したらしい。

〈タネ明かし〉

これ以上長引かせるわけにはいかないと判断し、わたしは彼に詫びて事実を説明した。事務所が大変な時期に、心配をかけるようなことをして大変申し訳ない。クリスタルの灰皿なんてウソだし、あの手紙はわたしの偽造だから…。

へっ？　だって、封筒のロゴが…、便せんのレターヘッドが…。店の名前と電話番号、支配人名があるし、消印もススキノだし…。そう言ってうろたえている彼が理解して落ち着くまでには、しばらく説明が必要だった。

自家用のプリンターでも性能が良いので、封筒や便せんをそれらしく見せるのは簡単だし、消印も完璧だった。仲間がわざわざススキノまで行って投函してくれたのだ。支配人の名前は、当時の北海道知事の三文字を使わせてもらったけれど、彼にはそれを怪しむ余裕はなかったようだ。

わたしたちは、イタズラ大王だけをターゲットとし、他の人には迷惑をかけないコンゲームを目指したつもりだった。しかし、彼の事務所の多忙な時期に重なって、後味の悪い結末になってしまった。彼の奥さんにも迷惑をかけてしまった。本当にごめんなさい。

一緒になって仕組んでくれた仲間たちは、彼からの報復を恐れて、協力したことは内緒にする約束だった。だから表面上は、このコンゲームはわたしだけの仕業となっている。

わたしたちは、彼の事務所がいつもの平静さに戻ることを祈り、二度とこのような真似は繰り返すまいと心に誓ったはずだった。

〈懲りないイタズラ大王〉

わたしはイタズラ大王との対決は忘れようと、職務に専念していた。前述の通り、国から北海道庁へ派遣されたわたしの立場は微妙であり、気遣うことも多かった。ついつい口にしてしまう愚痴も、笑い話のオチをつけるように心がけていた。

ある日、職場のデスクで電話を受けると、新聞社の記者を名乗る若い女性の声が元気に響いてきた。国と北海道の仕事両方に精通しているわたしに聞きたいことがあるという。なぜわたしの立場を知っていて、名指しで連絡が来たのか不思議だったが、電話の声は続く。世の中を賑わしている「道州制特区推進法案」について、特に直轄事業の地方自治体への移管についてコメントを、と矢継ぎ早に問いかける。

わたしは、国民と道民、地域の方々のためになるのならば、どちらでも良いのでは？　と答えた。わたしは、個人的な意見を言える立場ではないし、そもそも本音がそうなのだから、しようがない。

追い詰める言葉を見つけられず困ったのか、彼女はちょっと待ってください、上司と替わりますと言葉を繋いだ。その後、受話器から聞こえてきた声は、なんと馴染みのイタズラ大王だった。「上司の○○です」

わたしは、彼が懲りずにまた仕掛けてくるとは思いもせず、油断していた。彼の勝ち誇ったような軽口はそのまま続いていたが、わたしは、怒るというよりは呆れかえって、そのまま受話器を置いた。

わたしの様子をいぶかった隣席のN氏に電話の内容を説明すると、一緒になって憤慨してくれた。彼はイタズラ大王に、わたしが手に負えないほど怒っているので、誠意を持って対応すべきだとメールで伝えてくれたらしい。いずれにしろ、わたしはもうイタズラ大王とは話す気も無かった。

イタズラ大王はN氏と何度か相談した後に、わたし宛にメールを送ってきた。メールには一応謝罪の言葉があったが、記者の「道州制」に関する特集記事の件は本当で、詫びがてら取材に行きたいという図々しいものだった。

わたしには、彼の提案はイタズラの延長にしか思えなかった。こんな状態で穏やかに取材を受けられるはずもないし、取材先の紹介さえするつもりはない。

今回の件も前回のイタズラも冗談の範囲を逸脱している。前回のイタズラは、木製の塩入れを盗むという犯罪だ。今回の電話は、もしも記者が偽物ならば、騙されたわたしが馬鹿なだけで済まされるが、本物ならば大問題だ。行政とマスコミの関係、記者と取材相手の信頼関係を踏みにじる行為だ。

彼は、ジョークも通じ爽やかな女性記者だからというが、ジョークの範囲をはるかに超えている。彼女に罪はないから丁寧な対応をと頼んできたが、そんなことができるはずがない。わたしには近づかない方が良いと彼に伝えた。

〈謝罪と取材〉

やめておけば良いのに、イタズラ大王は女性記者を連れてわたしを訪ねてきた。彼は縮こまって謝罪の言葉を述べ、全て自分が悪いのだが、彼女も直接詫びたいというので連れて来たと付け加える。彼女は頭を下げながら、新聞社の社名の入った名刺をおずおずと差し出した。
わたしは、本物の記者なのか疑っている、どこまで何を、誰を信じたら良いのか分からない、と本音を伝えた。彼は慌てて、彼女は本物の記者に間違いないと答えた。彼女は、あんな電話をしたのだから、信じてもらえなくてもしようがない、今後は我が社の取材は拒否してくださいと笑えない冗談を言った。

ちょうどその時、わたしの携帯電話の着信音が鳴り、二人の了解を得て、その場で受けることにした。相手の声を聞いてうろたえた様子を見せてしまったが、そのまま続ける。「先ほどは失礼しました…。いえいえ、熱くなって変なことをお尋ねして…。そうですか本物なのですね。ちょうど今、本人がわたしの所にいらっしゃって、名刺もいただきました…。いえいえ、事を荒立てるつもりはありません。確認できただけで充分です…。今後ともよろしくお願いします…」

イタズラ大王と新聞記者

わたしの声が大きくて全て聞こえたらしく、二人とも顔色がみるみる青くなった。彼は、わたしを詰った。なんてことをするんですか？　ちょっとそれはひどいんじゃないですか？　彼女は怯えて、誰に確認したのですか？　我が社の○○記者ですか？　と聞いてくる。

わたしは、本物かどうか分からないので、確認しただけです、ニュースソースは明らかにできません、と突き放した。彼は、取り返しのつかない状況に彼女を追いこんだことに気づいたのか、憮然として言葉を失った。そして、彼女をいたわりながら、退散しようと促す。新聞記者はお詫びといって日本酒の箱を差し出したが、わたしは受け取るわけにはいかなかった。

〈大団円〉

それから一時間もしないうちに、イタズラ大王から電話がかかってきた。彼は、全て自分の責任なのだけれど、あそこまで責める必要は無かっただろうという。彼女は半べそをかいて、何も言わずに帰ってしまったらしい。新聞社内で問題にならないよう、彼女が弁明に行くので、電話相手を教えてくれと頼んできた。

わたしは、彼に教えることはできない、彼女に直接経緯を説明して安心してもらうから、と答えた。そして、彼を通じて彼女の携帯電話番号を教えてもらった。わたしが電話で以下の通りのタネ明かしをすると、彼女は理解するまでしばらく黙り込み、突然キャアーと歓声を上げた。

わたしは新聞社の誰とも連絡を取ったことはなく、電話の会話は全て自作自演の一人芝居だったことを白状した。二人の態度をみて、お仕置きが必要と思い、ワン切りコールを送って携帯を鳴らしてもらったのだ。前回のコンゲームの仲間に、あらかじめ折り返し電話を頼んでいた。

新聞記者は、会社に知られたら、職を辞さねばならないと思い詰めていたらしく、タネ明かしを聞いて安心したという。あらためて詫びをいう彼女に、わたしも謝罪した。おじさん同士のくだらないイタズラ合戦に巻き込んでしまって申し訳ない。でもね、記者としては許されない一線を踏み越えてしまったのだよ。

その後、わたしは職場の仲間とビールを飲みに行く機会があり、陰ながら活躍してくれたN氏をねぎらい乾杯した。今回の二つの報復では、イタズラ大王を追い詰める重要な役をN氏が演じてくれた。手伝ってくれた仲間みんなと飲んで称え合いたかったけれど、みんなは祟りを恐れて、知らんぷりを装っている。ちょっと後味が悪いけれど、腹いせは済んだし、道を踏み外した若い新聞記者を戒めることができたからよしとしよう。

イタズラ大王は、その後も新聞記者と一緒に和解のビールを飲もうと誘ってきたが、それに乗るつもりは無かった。本当かどうかは怪しいが、彼女は、もう寄りつかないと言い張っていた。

しばらくして、彼女は東京本社に栄転し、新聞の一面片隅に署名記事を掲載するほど出世したようだ。その記事の中に「地方分権と道州制」に関して、「過去に取材した経験を元に…」と述べている部分を見つけ、わたしは吹き出してしまった。わたしなんかより、まともなニュースソースが見つかったのかな？　まあ、辞職を覚悟するほどの苦難？　を乗り越え、イキがるぐらいの方が、将来有望かもね。

第四章　二〇〇〇年〜二〇〇四年　有珠山対応とビール

一　有珠山噴火対応でビールを断つ

〈有珠山噴火非常災害現地対策本部〉

ビールの気分転換に頼らず、これほどがむしゃらに働いたのは、初めてかもしれない。いつもは、集中して働いた後のビールを楽しみに生きている。無駄を覚悟で走り回り、汗のおかげで美味しいビールにありつければ、それで幸せだ。でも、その時ばかりは勝手が違った。

二〇〇〇年三月三十一日に有珠山が噴火して、すぐさま設置された政府の有珠山噴火非常災害現地対策本部では、ゆっくり食事をする時間さえなかった。三食とも、打ち合わせをしながら、仕出し弁当をペットボトルのお茶で流しこむ。有珠山周辺の住民一万六千人が避難して、大災害に直面している現場で、夕食に缶ビールを、なんて望めるはずがない。ビールの泡のイメージが頭をよぎらなかったと言えばウソになるけれど。

わたしは当時、札幌の事務所勤務だったが、四月二日に急遽応援に駆けつけることになった。それまで火山砂防事業に携わってきた技術者として、防災に関わる行政官として、じっとしてはいられない。札幌の仕事は同僚に任せ、とにかく対策本部のある伊達市役所に向かった。わたしは、すぐさま現地対策本部で広範な仕事に追われることになった。

有珠山噴火非常災害現地対策本部は、伊達市議会の議場や会議室を占拠して、内閣と十六省庁から派遣された職員によって構成されていた。政府は三月二十九日に主要メンバーを派遣し、現地連絡調整会議を開催しており、噴火した直後に現地対策本部に切り替えた。わが国で初めて火山噴火前に緊急火山情報が出され、人的被害を回避することができた、世界的にも稀な事例である。

政府としては、内閣の安全保障・危機管理室と国土庁を中心に、各省庁から責任を持って判断できる職員を派遣し、現地で迅速に対応する体制を目指していた。

でも、中にはお役所仕事から抜け切れない官僚もいて、ヒンシュクを買うこともあった。現地対策本部会議では、いろいろな問題が提起され、それに関わる省庁の担当官が意見を求められる。殺気だった雰囲気の中で、ある問題について、所管している省の課長補佐は、のんきな答弁を返した。

「えーと。この件についてわたしは承知していません。補助事業に関わる問題ですので、都道府県の責任であり、我が省として直接答えることもできません。必要とあれば本省の判断を仰いで…。」

一刻を争う危機管理の場で、ギリギリの判断をしている他省庁のメンバーは、その答弁を聞いて当然のごとく怒り狂った。そんな判断もできないのなら、帰ってしまえ。

各省庁からそれぞれ派遣される人員は、自衛隊、警察、消防などを除いて、せいぜい一人か二人程度である。そんな中で、わたしの所属していた組織からは、現地のトップの親分をはじめ、数十人が現地対策本部に張り付いており、実働部隊として各省庁の雑用まで引き受けることもあった。わたしはその親分の補佐役となり、親分が必要に応じて自由に動き回れるよう、上部組織と現場、各省庁の繋ぎ役を仰せつかっていた。また、噴火予知連絡会有珠山部会で活躍している、お二人の北海道大学教授の支援をすることも大事な仕事だった。

〈有珠山の奇跡と問題の数々〉

有珠山二〇〇〇年噴火で一人の犠牲者も出さずに済んだのは、本当に奇跡的なことだ。世界的にも極めて珍しいことだといえる。有珠山の噴火履歴がよくわかっており、観測体制が整い、主治医と呼ばれる研究者が現地に常駐していたことが幸いした。一九九五年に火山防災マップが公表され、それを元に地域の方々が噴火災害に備えていたから、噴火前に一万六千人が避難できたのだ。

しかし、噴火がもっと早かったら、避難中の方々に被害が出ただろう。噴火口ができた国道二三〇号は、噴火寸前まで避難路として使われていた。逆に、なかなか噴火が起こらなかったら、緊張感が続かずに、再移動が始まり被災していたかもしれない。

2000年　有珠山噴火による国道の被災状況

現地対策本部で解決しなければならない問題は多岐にわたり、どれも時間をかけて考えている暇の無いものだった。

避難している方々の一時帰宅と、養殖ホタテの操業を行うため、火山活動を監視して、安全を確認しながら誘導しなければならない。一日で光ケーブルを繋ぎ、モニターを並べて、監視体制を確立するよう命じられた。ヘリコプターと観測所からの動画映像を一箇所で監視する場所を急いで設置し、要員を配置した。

国道の通行を再開したものの、降雨の状況により泥流発生の恐れがある時には、再度通行止めにしなければならない。泥流発生に備えるべき降雨強度と、交通再開の基準をどうしたらよいのだろう？　これについては、火山泥流に関する専門家で構成する土砂災害対策検討委員会で、通行止め基準雨量と再開の条件を決めてもらうことになった。

しかし、その基準雨量について説明が十分ではないまま、突然交通遮断したため、国道利用者とマスコミから非難され大騒ぎになった。現地対策本部として、すぐさま基準雨量について会見を通じて説明を行い、通行止めの事前連絡の徹底を図った。

洞爺湖の水の流出口は、壮瞥川と太平洋に向けた発電用の送水路だが、噴火の影響で送水路が変形しているようだ。送水を止めたために一日に一センチメートルずつ洞爺湖の水位が上がっており、長引くと洞爺湖温泉が水没する恐れがある。壮瞥川からの流出量を増やすには、流出口を破壊する必要がある。しかし、壮瞥川が合流する長流川の漁業組合が、その濁水流入を容認するとは思えない。

数日後、発電用の送水路に挿入したロボットにより、安全に送水できることが確認され、ひとまず心配事が一つ解消された。

こんなことばかりで、ひとつ対応策を決めて指示を出し、次なる問題を関係者と相談している間にも、新たな困ったことが降りかかってくる。一難去ってまた一難。一喜一憂。一進一退。一姫二太郎三ナスビ（？）。

二　危機管理の疲れをビールで癒やす

〈研究者と行政と危機管理〉

北海道大学の教授お二人が現地対策本部にほとんど常駐して、有珠山の活動に関する科学的な情報提供やアドバイスをしてくださった。両教授の応援がなければ、現地対策本部は機能しなかっただろう。一人の教授は地震波から火山の研究に入り、一九七七年噴火以来、現地で観測を続け、地域の方々との信頼関係を作り上げてこられた。もう一人の教授は、地球物理学・地質学の分野から火山を研究し、火山現象や噴出物の成分から、火山活動の現状と次なる動きを推定してくださる。

両教授は、次から次へと続く打ち合わせの合間を縫って、ヘリコプターに乗りこみ、上空から有珠山を監視し、集まってくる数多の観測情報を解析していた。夜になると、現地対策本部会議、市町村長からの相談事、火山噴火予知連絡会の会議などに追われ、睡眠時間が確保できているのか心配になるほどだった。また、ヘリコプター監視や会議の後には、必ず記

者会見で研究者としての見解を広く公表した。

わたしは、現地対策本部で仕事に追われながら、行政と研究者・専門家との連携について、考えこんでしまった。有珠山噴火対応において、研究者と行政の繋がりは極めて円滑だったと思う。しかし、研究者に対する負担は大きく、教授たちが疲れ果てていることも見て取れた。わたしたちは交代できるが、お二人に代役はいない。

ある時、漁業操業の再開を検討しているとき、駆けつけた漁業組合の方々が、教授を取り囲んで直に交渉を始めた。このままではホタテが死滅するから、早く操業許可を出してくれと声高に要求する。行政を動かすために、教授に助言して欲しいという、直談判のつもりらしい。

噴火からしばらく経って、その時のことを教授に尋ねた。有珠山対応では行政が研究者に頼りすぎた面があったのではないか。研究者に行政的な判断の責任まで負わす事になると、意見を言いづらくなる恐れがある。たまたまお二人がいらっしゃったから良かったけれど、他の研究者ならば対応しきれない。

その教授は柔らかな笑みを浮かべながらも、わたしの考えをはっきりと否定された。せっぱ詰まった危機管理の場で、そんな役割分担にこだわっている余裕などない。確かに研究者として漁組の方々に囲まれて、議論に時間を費やすことは避けたい。でも、その時々で何をなすべきか、できるかを考えながらベストを尽くすしかない。

現地対策本部の記者会見で、新しい情報がなくてマスコミがイラついてきた時には、教授たちがマスコミ教育を始めることもあった。基礎的な火山噴火用語の説明や、新しい観測技術の紹介、そしてその成果を分かりやすく説明してくれる。

さらには、災害時に被害を最小限にするためには、市民・研究者・行政・マスコミの円滑なる協力関係が不可欠だ、と力説する。これは減災のテトラヘドロン（正四面体）と呼ばれ、つまりはマスコミも防災上大事な役割を担っているのだから、真面目に協力してくれ、という教育的指導だった。マスコミは次から次へと人が替わり、引継ぎのない個人商売のようにも見え、初歩的な知識さえ勉強不足な記者もいる。

〈危機管理の合間にビール〉

現地対策本部から歩いて二十分ほどのところに、十分なスペースを持つ前進基地が設置され、機動力を発揮していた。現地対策本部の大騒ぎ、大混乱の中では、じっくりと資料を整理し、順序立てて仕事を進めて行く余裕がない。前進基地では、それを補完するため、着実に作業を実施していた。前進基地には、土砂災害対策チームと教授たちの研究室も同居して、本部の必要とする情報を取りまとめ、本部の指示を実行に移す最前線となっていた。

現地対策本部の仕事は夜になっても区切りがつかず、しかたがなく、担当を決めて順番に仮眠した。伊達市議会の議場の床に、そのまま寝転んで眠ることもあった。もう少し時間があるときは、前進基地の仮眠室に並べられている折りたたみ式ベッドで寝ることにした。伊達市の旅館やホテルは、現地対策本部員やマスコミに押さえられ、室蘭まで行かないと宿はとれなかった。

わたしは、緊張感の持続が限界だと感じた時に、室蘭のホテルを予約し、仲間と食事をする時間を作った。暗くなった横丁で、あと一時間で閉めるという居酒屋に上がりこみ、ビールと室蘭名物「豚串」を注文する。洋ガラシをつけて食べるタレ味の豚串は、ひさしぶりの

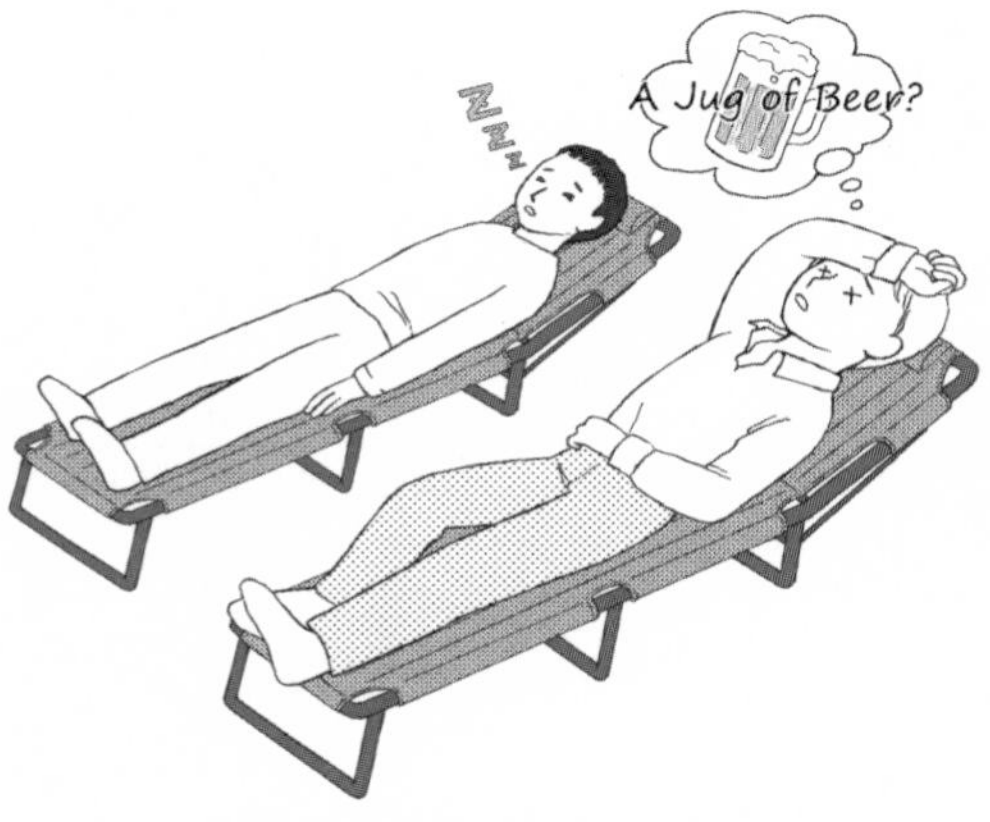

折りたたみ式ベッドで仮眠

ビールの味を際立たせた。避難して苦労している方々に申し訳ないと詫びつつ、しばしの生ビールを楽しんだ。

仲間たちは、疲れも見せず、有珠山噴火の危機を乗り越えるという目的のために力を合わせている。わたしたちは、組織のエゴとか、縄張り争いとは無縁の世界で、仕事に邁進していた。いろいろなミスはつき物だったが、後悔している余裕もない。そのミスを乗り越え、転んでもただでは起きないつもりで一歩踏み出し、次なる手を必死に考える。

そんな緊張感と高揚感の合間、久しぶりにリラックスした時間をビールで取り戻す。翌日からまた闘いの日々が続いていく。そのために、少しの間だけゆっくりとさせてください。

室蘭のホテルは決して豪華ではなかったが、お湯のシャワーを浴びて、まともなベッドで寝られるだけで幸せだった。一昔前に汗まみれで転がりこんだ、ベトナムやラオスのホテルと似た臭いがした。あのころも汗だくになって走りまわっていたっけ。

三　有珠山との縁（一九七七～一九七八年噴火）

〈現場の調査とビールの味〉

わたしの有珠山との縁は、前回噴火までさかのぼる。それ以前、中学時代や高校時代にも有珠山や昭和新山を訪れた記憶もあるが、札幌まで黒い火山灰を降らせた一九七七年噴火が強く印象に残っている。

当時、大学で砂防工学を学んでいたわたしは、現地調査で頻繁に有珠山を訪れた。大学の教授や助教授の手伝いのこともあったし、コンサルタント会社のアルバイトとして、仲間とともに泊まりこむことも多かった。測量機材やスコップを担いで、まだ火山性地震の収まらない山腹で火山灰をかぶりながら調査して回った。調査で汗まみれになった後に温泉に入る快感と、浴衣姿で飲み干すビールの美味しさに目覚めたのもこの頃だ。

現地調査で明らかにすべきことは、火山灰がどの程度山腹に積もっていて、それがどういう性質を持ち、泥流災害発生の恐れがあるか、ということだった。

火山灰が山腹に降り積もって、その細粒分が地表を覆うと水が浸透しづらくなる。そこに雨が降ると、流水が地表面を走り、沢に集まった水は勢いを増し、急速に侵食し始める。そうなると、ルーズな火山灰は容易に流され、規模を拡大した泥流となって下流を襲うことになる。

　火山性地震に脅かされながら、外輪山の中で火山灰を掘っていたときのことである。二人ほど入れる大きさの穴の中で、わたしたちは交代しながら掘り進んでいた。深さが二メートルほどになっても地山には到達せず、だんだんと焦れてきた。そんな時、穴の中の仲間がふらふらになりながら、「変な臭いがする」と叫んだ。火山性ガスを吸って倒れそうになっていた。わたしたちは大慌てで息を止め、穴に飛びこみ、彼を引きずり出した。それ以上掘ることはあきらめ、逃げるように山を下りた。

　そして、火山灰にまみれた身体を温泉で洗い流すと、いつものように冷たいビールを飲んだ。恐ろしい体験もビールを飲みながら笑い話にしてしまうわたしたちは、若いというよりは無鉄砲だったというべきだろう。

有珠山火口原で火山灰を掘る

〈有珠山のおかげで職を得る〉

その頃、大学の恩師たちは、有珠山の噴火を契機に研究室の成果を世に広め、国土保全に活かすべく努力していた。当時、砂防工学の分野では、高い砂防ダムを谷の中に設け、土石流を待ち受ける対策が主流だった。しかし、有珠山のような火山では、堅固なダムサイトはないし、不安定な火山灰が多く積もっている。一箇所で土砂を止めても、下流部で火山灰を巻きこんで泥流が拡大する恐れがある。だから、流域全体を考えて、面的に土砂をコントロールしようというのが、恩師たちの理論であった。

恩師たちの強かった点は、噴火前から異分野の研究者や現場の技術者と良好な関係を築いていたということだ。火山学・地質学・生物学の研究者、そして、砂防・治山・河川・林業などの現場技術者と切磋琢磨しながら、連携していた。いろいろな問題が生起する危機に対処するためには、各方面の専門家との結びつきが大事だということを、わたしたちは実感として学んでいた。

有珠山噴火が続いていた一九七八年、わたしたちは大学の四年生で、本当は就職活動に専念すべき時期だった。ただでさえ就職難の時代に、わたしはフィールド調査と遊びばかりで、就職戦線に出遅れていた。

幸いなことに、わたしは、ダメモトで受けた国家公務員一次試験に合格することができた。そして、有珠山噴火災害で砂防工学が注目されたせいか、北海道開発庁（当時）が砂防技術者として採用してくれることになった。有珠山のおかげで職につけたようなものだ。だから、ビールに溺れず（？）、有珠山と地域の方々に恩返しをしなければならない。

四　有珠火山防災教育副読本

〈有珠山の復興と防災教育〉

有珠山現地対策本部から職場に復帰し、本来業務に戻ると、何となく日々の仕事が物足りなく感じられてきた。でも、対策本部のような緊張感で仕事を継続することは無理だし、疲れ果てて悪循環になりかねない。平常時に力が入りすぎていては、突発的な対応に遅れをとる。

有珠山噴火から一年あまり経って、わたしは室蘭勤務を命ぜられた。管轄区域には有珠山があり、有珠山周辺の道路の復旧などにも携わることになった。そして、地域の復旧復興に合わせて、次代を担う小中学生のために有珠火山防災教育副読本を作成することになった。

有珠火山防災教育副読本

わたしたちは、防災教育について経験もないので、とにかく走りながら戦略を考え、修正して行く方法をとった。有珠山のある伊達市・虻田町・壮瞥町の首長さんに趣旨を説明し、御理解を得る。役場の企画・防災・教育担当にも意義を説いて回り、協力を依頼する。教育委員会、校長会を通じて、意欲的な先生を推薦していただく。先生たちに個別に説明し、趣旨を理解していただいた上で、その上司の校長先生に協力依頼をする。…などなど。

幸い、北海道大学の教授が、副読本作成検討会のコーディネーターを引き受けてくださった。地域から火山の魅力と防災のあり方を発信しつづける昭和新山の持ち主がアドバイザーとして参加してくれた。そして、何よりも大事な議論の主体は、地元伊達市・虻田町・壮瞥町の小中学校教諭たちだ。

わたしたちは、役人臭い態度を極力排除して、副読本作成の営業活動に邁進した。会議では、日頃のスーツとネクタイは避けるようにした。主人公はあくまで先生たちなので、わたしたちは裏方に徹する。議論がつまると、場を和ませるコメントをさしはさむ。

集まってくださった先生たちは、皆さん意欲的な方ばかりだった。中には退職されても、転勤されても議論に駆けつけてくれる先生がいらっしゃる。

そんな先生たちも、時々悩みを漏らすことがあった。教育委員会経由で推薦されて検討会に入ったものの、自分たちは地域の先生を代表しているわけではない。せっかく副読本が完成しても、ただでさえ窮屈なカリキュラムの中で授業に利用できる時間なんてほとんどない。利用する先生、あるいは利用したがる先生がどれほどいるものか？

そのような先生たちの不安を払拭するため、副読本の完成に合わせて幅広い方々に集まっていただき、ワークショップを開催した。議論を広く深めることによって、防災教育の重要さを理解していただき、副読本を地域の宝物として大事にしてもらいたかった。

ワークショップを終えて、夜遅くビールで乾杯した検討会メンバーは、みな満足感に浸っていた。議論は前向きで、検討会では気付かなかった論点もでてきた。副読本に対する理解が深まっただろうし、活用してくれる先生も増えるだろう。ビールを飲みながら、お互いの努力をたたえ合った。

五　泥流実験

〈洞爺湖温泉小学校からの依頼〉

2002年　有珠山泥流実験

有珠火山防災教育副読本の検討会メンバーの洞爺湖温泉小学校教諭から、小学生に泥流を見せてくれと頼まれた。いろいろな機会に泥流という言葉を聞き、二〇〇〇年噴火のビデオ映像で熱泥流を見たけれど、よく分からない。噴火と泥流のせいで学校は移転し、転居を強いられた子供もいる。子供たちは噴火のショックから立ち直りつつあるので、実感として泥流のことを理解して欲しい。

副読本検討会として壮瞥温泉に泊まりこんで議論を続け、夕食を囲みビールを飲むこともあった。そんな中で、子供たちのために泥流について勉強する機会を作って欲しいと依頼されたのだ。有珠山噴火二周年記

念のイベントが二〇〇二年三月三十一日に開催されるから、そこで子供たちの目の前に、手品の様に泥流を出現させろという。

わたしは、ビールの酔いも手伝って、安請け合いをしてしまった。三ヶ月の準備で泥流実験を仕上げよう。子供たちが興味を持つ出し物にして、泥流を再現する。ウソを教えることはできない。予算なんかない。一人じゃできないけれど、きっと応援してくれる人がいるだろう。

〈泥流実験装置の製作〉

大学や研究所で泥流実験の装置を探したが、使えそうなものは見つからず、自分で作るしかないようだ。どうせ作るなら、今までとは違うものにしよう。コンセプトは四つ。有珠山の本物の火山灰を使うこと。予算がないから、リサイクル主体の手作りにすること。子供たちが参加して、楽しめること。現地で行うのだから、背景となる有珠山山麓の地形と対照できること。

基本構造は木で組み立てるにしても、リサイクルで使えるものには何があるだろう。ビール瓶とか、缶はダメかな。ペットボトルはいけるかもしれない。通勤の途中の港で、野ざらしになっている浮きや魚網をみて、しばらく佇み、考えこんだ。ごみ捨て場の発泡スチロールの魚箱を見て、閃いたこともある。

有珠山の本物の火山灰は、国道の復旧を担当している事務所にお願いして手に入れてもらった。一九七七年噴火の時の火山灰は軽石っぽい粒子が多く、軽くて流れやすかった。しかし二〇〇〇年噴火のものは水を加えるとべっとりとくっつく。

週末になると札幌に帰り、試行錯誤の日曜大工で、実験装置を製作した。ベニヤ板で泥流の発生する山腹、泥流の流下する渓流、泥流の堆積する湖畔を組み合わせる。分解して自家用車で運び、簡単に組み立てられるよう工夫した。山腹や渓流は勾配が変えられるよう、台の高さで調節する。

山腹部には火山灰を敷き詰めるため、穴を開けた二リットルのペットボトルを寝かせて固定する。渓流部は、発泡スチロールの魚箱の底から側面に繋がる角の部分を切り取り、縦に繋げてV字谷を形作った。その表面には、物置に眠っていたエアマットを切り裂いて貼りつける。

山腹部と湖はそれぞれ茶色と青に塗装し、その間の渓流部はエアマットの緑のままに…。雨を降らし、泥流を混ぜ合わせるのに、ペットボトルを使おう。ペットボトルの蓋に小さな穴をたくさん開ければ、しょぼしょぼと雨が降る様を再現できる。どろどろの泥流を再現するために、ペットボトルに火山灰と水をいれて子供たちに勢いよくシェイクしてもらおう。

〈泥流実験という大道芸〉

二〇〇二年三月三十一日、洞爺湖温泉街で泥流実験を二回実施した。子供たち二十から三十人、それを取り囲む大人たちの前で、大道芸を披露するような気持ちになる。副読本検討会事務局の仲間、友人たちが応援してくれた。

まずは、背景の有珠山と実験装置を対照しながら説明を始める。みんながいるところは、有珠山から流れ出た泥流が堆積した扇状地の上なんだ。後ろにはまだ噴煙を上げる金比羅火口群が見える。そう、二〇〇〇年噴火で熱泥流が流れ出した火口だ。扇状地には過去にも何度も泥流が流れ、一九七八年の泥流では、三人の方が亡くなり、行方不明になってしまった。

いよいよ実験装置の出番だ。まずは山地部のペットボトルに敷き詰めた火山灰に雨を降らして、火山灰が流れ始める様を見せる。それから、火山灰と水を入れたペットボトルで、泥流をシェイクして流してもらう。子供たちは喜んで参加してくれた。泥流は茶色の山地部から緑の渓流部を流下し、青い湖に堆積する。そう、そうして堆積してできたのが、みんなが立っているこの扇状地だ。

「では、どうしたら泥流から町を守ることができると思う？」との問いかけに、子供たちは元気良く答えてくれた。「逃げる！」「砂防ダムを作る」「危ないところに住まない」さすがによく知っている。

渓流部に砂防ダムの模型を固定し、扇状地にペットボトルで作った遊砂地と流路工を置いて、泥流を流して見せた。ダムと遊砂地に泥流が溜まり、溢れでた泥流は流路工を流れていく。

みんながコーヒー色の泥流をシェイクしている時、わたしは準備しておいたペットボトル入りのミルクコーヒーをラッパ飲みしてみせた。予想通りビックリしてくれる子供がいて、嬉しかった。良い子はまねをしないように。

〈泥流実験の打ち上げ〉

実験終了後、手伝ってくれた仲間に感謝しながら、室蘭で反省会を開いた。もちろん、豚串を肴にビールを飲みながら…。とても楽しい実験になったと自己満足したが、不愉快なことが一つだけあった。子供たち相手に奮闘している後ろから、意地の悪いオヤジが突っかかってきたのだ。

わたしのミルクコーヒーのラッパ飲みを見て勘違いしたのか、「本物の火山灰を使えよ」と言ってきたのだ。驚いて「本物ですよ」と答えると、「有珠山の本物を使えよ」とまたカランでくる。わたしが胸を張って、「本物の有珠山の火山灰です」と答えると、ぶつぶつ文句を言いながら、彼は離れて行った。終わってから、きちんと説明したくても、彼は消えてしまった。

まあ、子供たちは喜んでくれたから良いか。美味しいビールを飲んで、イヤな事は忘れることにした。

六　有珠山火山砂防フォーラム

〈火山砂防フォーラムの企画〉

「火山砂防フォーラム」が二〇〇二年秋に洞爺湖温泉で開催される予定で、映像とパネルディスカッションの準備が進められていた。フォーラムは、毎年火山砂防に関わる地域を選んで催され、火山砂防や防災の関心を高めようという全国イベントで

ある。

火山砂防フォーラムに向けた下打ち合わせの後、ススキノの居酒屋で懇親会があり、ビールを飲むことになった。パネルディスカッションに参加する予定の火山学者、専門家、元NHK解説委員のコーディネーター、アシスタントの女性、そして企画運営を行う事務局の方々と一緒だ。わたしはそのフォーラムに、パネラーとして参加する予定になっていた。居酒屋の熱く盛り上がった雰囲気の中、火照った頭をビールで冷やしながら、わたしたちは有珠山の魅力を語り合っていた。

火山砂防フォーラムが開かれる洞爺湖温泉街は、特異な場所にある。海外から訪れる火山学者は、火山の噴火口の中に温泉街があるようなものだ、とその立地に警鐘を鳴らす。一九一〇年の有珠山噴火で明治新山が形成された時に、上昇してきたマグマのおかげで温泉が噴出したと言われている。有珠山の活動に伴う泥流が積み重なってできた扇状地上に洞爺湖温泉は発展し、火山の恩恵である温泉にお客さんが集まって来るのだ。そして、二〇〇〇年噴火では温泉街のすぐそばに噴火口が開いて、熱泥流により被害が発生した。

そのような歴史を経て、有珠山周辺では火山の恩恵を享受しながら、賢く安全に生活していくことを目指している。どのように火山と共存して、防災と観光と地域の方々の生活を折り合わせて行こうか？　ということが、このフォーラムで議論されるのだ。

〈有珠山噴火と洞爺湖温泉街の発展〉

1931年頃　洞爺湖温泉街（写真提供：レストラン望羊蹄）

わたしは、パネルディスカッションの中で、昭和の初期から洞爺湖温泉街が発展し、噴火災害を経ながら変わってきた状況を説明することにした。温泉街にあるレストランに飾ってあった昭和十年ごろの写真を複製させていただいた。その後の土地利用の変化を表すため、国土地理院に行って空中写真を探し、購入の手続きをとった。

昭和十年ごろになると洞爺湖温泉街は湖畔側から扇状地上へと広がり始めたことがわかる。湖岸が整備され、道路が延び、建物が増えていく。扇状地はゴルフ場や運動場、畑などに利用されていたらしいが、だんだんと温泉街が形作られる。その過程で、扇状地を流

2007年　洞爺湖温泉街（写真提供：北海道室蘭建設管理部）

れていた川もしくは排水路が狭められ、道路の下を土管で横断するようになり、いつのまにかそれ自体が埋め立てられた。

一九七七年有珠山噴火が起こる直前の空中写真には、洞爺湖温泉街に川らしきものは見当たらない。ホテルや旅館が立ち並び、それらを繋ぐ道路が整備され、西山川の上流部（当時は木の実団地の沢と呼ばれていた）にまで、団地が見える。

そんなところで有珠山が噴火し、火山灰が降り積もって、降雨による泥流が起こったのだ。一九七八年八月の泥流は西山川と小有珠川筋から流れ出し、道路や宅地に溢れ、三人の方が犠牲になった。

二〇〇〇年噴火直前に撮影された空中写真には、泥流災害を防ぐために建設された砂防施設がはっきりと写っている。西山川の上流部の建物はなくなり、渓流部や扇状地の扇頂部には砂防ダムが配置され、温泉街を突っ切って湖まで流路工が建設された。泥流が起こっても、砂防ダムで溜められ、あふれ出ても流路工で安全に導く仕組みができていた。

そんな中、またまた二〇〇〇年噴火が起こったのだ。一九七七年噴火の時に団地があった西山川上流部に火口ができ、そこから熱泥流が流れだした。熱泥流はしばらく西山川流路工におさまって流れていたが、量を増すごとに、橋を押し流し、温泉街に溢れ、町営温泉や洞爺湖温泉小学校に流れこんだ。昔の団地が残っていて、流路工ができていなかったら、もっと被害が大きかったはずだ。

そうして、この噴火後、さらに温泉街には大きな遊砂地の建設が始まった。住んでいらっしゃった方々には申し訳ないが、危険なところから徐々に住家が退き、有珠山噴火との共存関係が少しずつ変わって来たことがわかる。

〈有珠山周辺地域の応援団〉

火山砂防フォーラムでは、ビデオと対談を織り交ぜて、二〇〇〇年噴火を振りかえり、防災と環境保全、観光と地域の人々の暮らしについて議論が進められた。防災だけを推し進めて、地域が疲弊しては持続性がないから、平常時には火山の恩恵を利用した観光が大事だ。観光客を受け入れるためには、地域の方々が生き生きと生活できなければならない。

幸い、有珠山には応援してくれる方々がたくさんいる。主治医という言葉が適切かどうかは別として、現地で研究を積み重ねてきた科学者の先生がいらっしゃる。一九一〇年に一万五千人の方々の避難が行われた実績もあり、それから脈々と繋がる火山と共存してきた歴史がある。火山防災マップは噴火ごとに改善され、それを広く普及しようとする地域の方々や行政の担当者の熱意が素晴らしい。そうして、その流れを次世代へ伝える努力を地域の先生たちが進めており、他の火山や海外へも、その影響が及びつつある。ある意味では、すごく幸せな地域であり、魅力的な火山なのだ。

七　有珠山キッズスクールと学ぶ会

〈有珠山噴火四周年記念イベント〉

有珠山噴火四周年にあたる二〇〇四年三月三十一日は、研究者の世界でも、ひとつの大きな区切りとなった。有珠山二〇〇〇年噴火の時に火山学会長だった教授と砂防学会長だった教授が、ともに退官を迎えたのだ。二〇〇〇年有珠山噴火の際に、両学会の代表が北大の教授で、すぐに現場に駆けつけることができたというのも、幸運なこ

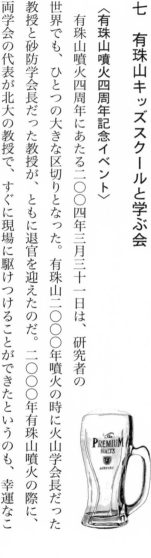

2004年　有珠山キッズスクール

とだった。

お二人はそれぞれ、北海道大学理学部と農学部で、退官に向けて仕事の整理に追われながらも、有珠山周辺の市民団体の求めに応じて、足しげく現地を訪れていた。教授を退官される時には、最終講義を盛大に行うのが常だが、お二人とも形式的で大げさなイベントを嫌がっていた。特に、恒例となっている後輩たちからの花束贈呈は、固辞していた。

そんな時、北海道大学に残る立場の教授が、有珠山噴火四周年と理学部教授の退官に合わせて、現地で最終講義をしてもらうと宣言された。現地でキッズスクールと大人向けの学ぶ会を開催し、それを本当の最終講義にするべきだとおっしゃる。ちょうど有珠火山防災教育副読本中学生版が完成する時期とも重なっており、そのお披露目にもなると、わたしたちもその提案に賛同した。

有珠火山防災教育副読本検討会をベースに実行委員会を組織して、準備を進めることになった。お二人の教授の参加を得て、火山と砂防のキッズスクールと学ぶ会を伊達市・壮瞥町・虻田町で開催するのだ。

〈美味しい実験準備〉

イベントには、キッチン火山学を提唱する教授にも参加していただくことになった。彼は、火山学会の中で、特に子供たちに火山を理解してもらうためのプログラムを開発しておられる。キッチンにあるような手近な材料で、火山のさまざまな現象を再現することができるという。

砂防の分野では、退官される北海道大学砂防学研究室の教授に、火山泥流や泥流対策を分かりやすく伝えるようお願いした。研究室の若手研究者は、キッチン火山学に触発されて、新たなレシピを考えてくれた。大学の研究室には頻繁にアイスクリーム、チョコレート、きな粉などの食材が持ちこまれ、試行錯誤と試食が行われたという。

実行委員会には、伊達市・壮瞥町・虻田町の防災企画担当、地元の小中学校の先生にも参加していただいた。そして、北海道・北海道教育委員会・関係市町村の教育委員会・北海道新聞社・室蘭民報社・北海道電力などに後援をお願いして回った。全く、営業の世界である。

わたしたちが営業に回っている間にも、準備が着々と進んで行った。キッズスクールの目玉である火山の実験と泥流の実験は、予定通り美味しい食材を利用することになった。ココアパウダーの山に湯煎したチョコレートのマグマを貫入させると、山体にひび割れが生じ、溶岩ドームが隆起する。アイスクリームの山にココアパウダーの火山灰が降り積もり、温めた蜂蜜の熱泥流が山体を侵食しながら駆け下る。それから、砂防学研究室の、砂を押し流して土石流を再現し、下流の家々を襲うという実験装置も使われることになった。

キッズスクールの実験では、子供たち五〜六人で囲むテーブルを部屋ごとに多めに設置して、順繰りに全てのメニューを体験してもらおう。最大百人の子供たちが集まるので、グループに分けて、先生たちの先導で部屋から部屋へと速やかに移動してもらうことが必要だ。

それぞれの分担で試験をするとともに、主要メンバーが集まって事前演習する機会も作った。いい大人が雁首そろえてココアパウダーを篩にかけて火山を作る。湯煎したチョコレートを注射器に詰めこみ、はみ出たそれを舐めながら火山の下から注入する。アイスクリームとココアパウダーを巻きこんで流れ出た蜂蜜の泥流の味見をする。とても美味しい実験になりそうだ。

〈キッズスクールと火山と砂防を学ぶ会〉

三月三十日と三十一日、壮瞥町・虻田町・伊達市でキッズスクールと大人相手の「火山と砂防を学ぶ会」が開催された。キッズスクールはそれぞれ五十人から百人規模、学ぶ会は六十人から百五十人と大盛況だった。実行委員会も準備から子供たちの指導、後片付けから移動、また準備と大車輪だ。アイスやチョコレートでベトベトになり、疲れ果てながらも大満足の結果だった。

三つの市町における二人の教授の最終講義は、他では聞けない貴重な内容で、地域の方々も喜んでくださった。三十一日の晩、講演の最後に、有珠山噴火で避難して苦労した市民から、お二人に花束が贈呈された。学内の最終講義では花束を頑なに拒否されていたお二人も、市民からとなると断れるはずもない。花束を受け取って涙ぐんだところを、わたしたちは見逃さなかった。

夜遅く宿に入ったわたしたちは、ビールを飲んでまたまた盛りあがった。両教授の退官の瞬間である三月三十一日二十四時を、カウントダウンして祝福した。子供たちや地域の方々を喜ばせたいと言いながら、自分たちの方が楽しんだ二日間だった。

第五章　二〇〇七年～二〇一〇年　研究国際交流でも飲み続ける

二〇〇七年、わたしは行政の仕事を離れて、また研究所に舞い戻ることになった。それまで窮屈な行政の中で、特に地方分権とか道州制という、国と地方自治体のパワーゲームに巻き込まれ、疲れ果てていた。そのせいか、気分転換のためのビールの消費量も多くなり、私の不機嫌な様子を女房は心配していたらしい。

わたしは、異動が決まってからも何かしら素直になれず、すねたフリをして、頬とあごのヒゲを剃らずに伸ばしていた。その姿で、北海道・国の出先機関・研究所の辞令交付に臨んだ。自分でも子供じみているとは思ったが、替えのきく歯車のように扱われているようで、素直に喜ぶ気にはなれなかった。

しかし、フリといいながらも、すねてネガティブな態度をとると、心まで荒んでくるものだ。心がどんどん暗くなり、気持ちが萎えてくることを実感し、立ち直るか開き直るきっかけを探していた。

一　ニュージーランド

〈研究国際交流出張の準備〉

そんな時に、先輩の大学教授からニュージーランド行きの誘いが来た。ギズボーンという町で、豪雨に起因した土砂の移動と運搬に関するワークショップを開催するので、研究所も協力して欲しいという。ラム肉やムール貝を肴に飲むビールも白ワインも、最高だよ。もちろん、国際会議の研究発表が主目的だけれどね。

それからは、研究所の仕事の合間を見つけて、ニュージーランド行きの準備を楽しむようになった。日本からは十人ぐらいの研究者が参加予定で、大学教授たちに混ざって、研究所からも三人が同行することになった。わたしたちは、出張の手続きと国際会議の研究発表の準備を並行して進めなければならない。

ニュージーランド国内の移動手段は、レンタカーに頼らざるを得なかったが、研究所では、そんな前例はないとはねつけられた。鉄道やバスなど公共交通機関では移動が不可能だと言ってもなかなか認めてもらえない。研究所の事務担当者は、もしもレンタカーで何かあっても、駆けつけることができないではないか、とダメ出しをする。

国内のレンタカー移動で事故が発生しても誰も助けになんか来ないし、保険に頼るだけだろうと思いつつ、忍耐強く説得した。最後には、今回は特別に認めるという所長の一声で、ゴーサインが出た。もともと役所の一部だった研究所という組織では、前例さえできれば、次回からは当たり前になる。

そうこうしているうちに、レンタカーどころではない無茶ぶりが飛んできた。以前からお世話になっていた大学の先生が、ニュージーランドの荒廃した山地を上空から調査するために、ヘリコプターをチャーターしろという。困った末に、ニュージーランドの日本大使館に出向中の仲間に頼んでみると、喜んで引き受けてくれた。大使館を通すと現地の業者の信頼感からか、手続きがスムースに進むようだ。

〈ワークショップ〉

ニュージーランド訪問の主目的である「豪雨に起因した土砂の移動と運搬に関するワークショップ」は、ギズボーンにある伝統的なレストランで開催された。ニュージーランドと日本の研究者、そして国際的な研究チームから、多岐にわたる研究が紹介され、和やかながら真剣な議論が行われた。

わたしは、十勝川流域の河川における河床低下の事例について発表した。河川や砂防の構造物の設置に伴い、河床に火山性の侵食に弱い地層が現れると、一年も経たないうちに数メートルも川底が下がってしまう。もともと河床を覆っていた玉石が、施設設置により除去されると、急激に侵食が進んでしまうのだ。

わたしのプレゼンテーションは、研究所の同僚たちに作成してもらった、河床変動のシミュレーション動画を組み込んでいた。しかし、ワークショップ会場のコンピューターでは、その動画が再生できず、固まってしまった。しようがなく、腕と上半身で急激な河床低下を演じてみせると、なぜか笑いを取ることができた。もともと、「一プレゼンテーション一笑い」をモットーにしていたわたしは、それで満足することにした。

〈マッセルとビールと白ワイン〉

ワークショップが終わり、開放感に浸ったわたしたちは、ビールを飲みに下町に繰り出した。ニュージーランド名物のマッセルは、白ワインに合うと評判だし、ビールとも相性が良い。マッセルは、フチが緑色に輝くムール貝の仲間で、市場ではキロ単位で売っていて、地元の方々はバケツを持って買いに行くらしい。

レストランでマッセルの白ワイン蒸しをオーダーして、わたしたちはテュイ（Ｔｕｉ）というビールで乾杯した。テュイというのは、ニュージーランドに生息する鳥の名で、ラベルにその姿が印刷されている。同行した霞が関で働く行政官は、テュイのラベルを愛おしそうに撫でていた。彼はバードウォッチングが趣味だと言い、南半球の鳥類を撮影するために、立派な望遠レンズ付きのカメラを携行していた。

わたしたちは、瓶入りのテュイを飲みながら、ふくよかでジューシーなマッセルを一ダースずつ楽しんだ。テュイのあとは、ニュージーランドの誇る白ワインで仕上げをする。ニュージーランドの研究者からは、もちろんシャルドネは美味しいけれど、ピノグリを試すべきだと勧められていた。シャルドネよりも酸味を抑えたフルーティなピノグリは、マッセルの味を際立たせた。

テュイビールとマッセル

〈ヘリコプターの威力〉

ニュージーランド北島の東海岸は、世界的にみても特に隆起が激しい地域であり、山地から河川を通じて海域に流出する土砂が莫大だという。北海道大学とニュージーランドの国立研究所は、共同研究として試験地を設け、山地の荒廃状況についてモニタリングを行っていた。

今回なんとかチャーターしたヘリコプターは、その試験地を上空から調査するための切札だった。ヘリコプターは、試験地に近い牧場を仮設のヘリポートにして、わたしたちの到着を待っていた。パイロットは、日本大使館から依頼されたから無理をしてきたけれど、本当に依頼主が現れるか不安だったらしい。

日本とニュージーランドの混成研究チーム二十数名は、四〜五人ずつに分かれて、それぞれ十五分ずつ上空からの調査を行った。北海道大学の教授は、それまで山地を這いつくばるように三年間調査し続けていたが、その累積よりもこの十五分の方がはるかに実り多かったと喜んでくれた。ニュージーランドの研究者は、なんで自分たちのためにヘリコプターまでチャーターして協力してくれるのか、と感謝を込めて聞いてきた。

わたしは先輩教授に促されて、わが研究所としても、この研究の重要性を認識していると答えた。調査の進捗を図るため、大使館を通じてヘリコプターをチャーターした…。ウソは言っていないけれど、何の足しにもならぬ政治家のような答弁だ。大学の先生に無理強いされたから、研究所の担当者を煙に巻いて、個人的なツテを利用して大使館に動いてもらった、などと言えるはずがない。いずれにしろ、両国の共同研究に貢献し、日本のイメージアップを図り、ニュージーランドの研究者も満足してくれた。めでたし、めでたし。

〈バーベキューでビール〉

次なる目的地は、北島の中央部に位置するトンガリロ国立公園のルアペフ火山である。ルアペフ火山では二〇〇七年三月に火口湖が決壊し、大規模なラハール（火山泥流）が発生した。しかし、事前の準備が万端であり、適切に警報が発令された結果、人的被害もなく、橋梁などの被災も回避することができた。

一九五三年に起こった火口湖決壊では、大規模なラハールが起こり、約三十キロメートル下流のワンガエフ川に約九百立方メートル毎秒の濁流となって押し寄せた。そして、ワンガエフ川に架けられたタンギワイ鉄橋が破壊され、特急列車が濁流に落下し、乗客の一五一人が犠牲になったと記録されている。二〇〇七年のラハールは、一九五三年と同じような規模だったらしいが、観測・警戒などの対応で、被害は最小限にとどめられた。

わたしたちが宿泊したツランギという静かな街のモーテルには、バーベキューを楽しめる庵が設えてあった。わたしたちは、近くのスーパーマーケットで食材とニュージーランドビールを買い込み、庵の炉で夕食の準備をした。

2007年　夕食のバーベキュー（写真提供：村上泰啓さん）

マックス（Mac's）やステインラガー（Steinlager）など、いろいろなビールを飲み比べながら、牛や羊のステーキを焼いてほおばる。大学の先生も、霞が関の行政官も、なんちゃって研究者も、老いも若きも、ビールとバーベキューの前では、みんな飲み仲間だ。ニュージーランド人も、日本人も、それから日本で研究しているドイツ人もみんな、バーベキューの炉の炎とともに熱くなって、静かな街の片隅は異様に盛り上がっていた。

二　カナダ　トロント

二〇〇七年に十年以上のブランクを経て研究所に戻ってきたわたしは、研究を突き詰めていく自信がなく、マネジメントに徹するつもりでいた。いろいろな分野の研究を繋いで、現場で困っている技術者の応援をすることも、大事な仕事のはずだ。しかし、研究所の仲間たちは、研究から一歩引いて管理者に甘んじることは、単なる堕落だといって許してくれなかった。

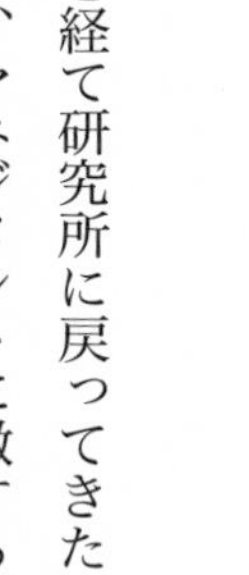

〈書類仕事と研究活動〉

厳しい仲間たちの監視の下、内部管理や書類仕事に追われながらも、現場調査や論文書きを続ける姿勢を見せなければならない。そんな時、二〇〇八年五月に開催される「第四回洪水防御国際シンポジウム」の案内が舞い込んだ。研究の第一線から逃げようとするわたしを強く批判していた上席研究員が、この会議に論文を提出して発表するよう迫ってきた。

わたしは仕方なく、それまで研究と行政の両方の立場で検討してきた洪水被害と河畔林管理について、上席研究員と連名で発表することにした。河畔林があると、洪水時に水位が上

昇し、また流木となって橋梁などに被害を及ぼす恐れがある。一方で、河畔林は動植物が生育する場として、水辺の環境保全のために重要な役目を果たしている。

河川管理のためにヤナギが生い茂る河畔林を皆伐すると、その根株から萌芽して、密度の高い不自然な林になることも多い。密林の状態は洪水時にかえって危険であり、維持管理も大変である。では、河川管理上、環境保全上望ましく、維持管理が軽減できる河畔林はどうあるべきか？

わたしは、研究所の書類仕事に忙殺されていたが、合間を縫って豊平川で伐採されたヤナギの生育密度や萌芽枝の成長状況を調べた。少ないデーターではあったが、ヤナギの繁茂に伴う洪水中の抵抗密度の変化を推測した。そして、伐採したヤナギから萌芽することによって、さらに抵抗密度が増加することに注目し、伐採方法の検討にも応用した。そして、それをもっともらしく英語の論文に仕上げて第四回洪水防御国際シンポジウムに応募し、口頭発表することになった。

〈国際会議出席と銀婚式のお祝い〉

研究発表という国際会議出席の理由の裏に、個人的な目論見があったのも事実だ。いつものように、美しいアリバイのもと、海外の美味しいビールを楽しむチャンスをうかがっている。実は、二〇〇八年五月にわたしたち夫婦は銀婚式を迎えるので、女房を同伴してトロントで祝杯をあげたかった。もちろん女房の旅費は自分で出さなければならないが、国際会議では夫婦同伴が当たり前のことになっている。会議の予定の中には必ず伴侶向けのイベントが企画されているほどだ。

トロントの国際会議に出席というチャンスを得たわたしは、女房とともに、成田経由でエアー・カナダに乗り換え、トロントに向かった。機内でビールを頼むと、キャビン・アテンダントが日本のスーパードライや黒ラベルを勧めてくれる。カナダのビールを夢見ながら、しばらくお預けになる日本のビールを飲み干した。

カナダに着いてしまえば、こっちのものだ。論文は提出済みだし、二十分間のプレゼンテーション資料も作成済みだ。できるだけ時間を作って、トロントという美しい街で、銀婚式のお祝いをするのだ。

わたしは三十人ほどの聴衆の前で、「北海道における洪水被害軽減と環境保全のための河畔林管理」というテーマで発表した。アラスカから参加していた女性研究者に頼んで、アリバイを証明する写真を撮ってもらった。河畔林が河川管理の問題になっているような河川流域は、日本以外にはないのかもしれない。寂しいことに、わたしの発表にはあまり興味を持ってもらえず、会場からの質問は一つもなかった。

〈モルソン・カナディアン〉

五月七日の銀婚式当日、わたしたちはステーキハウスを予約し、ちょっと贅沢なディナーで二十五年間の結婚生活を祝福した。なかなか豪華な構えのレストランだったが、テーブルの間が狭く、隣の客たちと肩が触れそうなほど混雑していた。

わたしたちは、お互いの声がよく聞こえない中で、モルソン・カナディアン（Molson Canadian）ビールをジョッキで飲み、大きなステーキを切って頬張る。モルソン・カナディアンは、クセがなくなかなか飲みやすいビールだった。レストランの席は狭くて周りの声がうるさかったが、負けじと大きな声で会話し、二人の世界を楽しんだ。

シンポジウムの合間を縫って、女房と二人でヒッポ・ツアー（Hippo Tour）に参加した。ヒッポとはカバのことで、陸域と水域を行き来するトロント市内観光が、そう呼ばれている。黄色いカバに似せたバスと船のアイノコが、中心街を発車し、トロント大学などの観光拠点を巡った後で、オンタリオ湖にダイブする。湖に入る瞬間は水しぶきが激しくて、なかなかの迫力だった。でも、運転手（船長）はスナックを食べながら操縦し、案内者はマイクに向かってダラダラとしゃべり続けるという、緊張感に欠けたツアーだった。

〈ナイアガラの滝ツアー〉

シンポジウム最終日には、事務局が企画したナイアガラの滝と地元ワイナリー見学ツアーに参加した。会場ホテル前で、各国からの参加者と一緒にバスに乗り、二時間余りでナイアガラの滝に着く。ナイアガラの滝は、アメリカ側よりもカナダの景色の方が雄大で美しいと評判だ。

そのツアーでは、ボートで滝ツボ近くまで行って、視界不良になるほどの滝のしぶきを体験できる。乗船前にフード付きの青いゴミ袋のようなカッパを着せられたわたしたちは、甲板にひしめき合って立ちながら、全身ずぶぬれになった。

下船して、丘の上から滝つぼを見下ろすと、壮大な水煙の中に多くのボートがうごめいていた。滝の落ち込みの流れに抗ってジタバタしているボートの様子が滑稽に見える。

ワイナリー経由で帰るバスの中で、ドイツの大学教授が日本語で話しかけてきた。ドイツからの参加者が多い車内で、日本人はわたしたちだけだったので、気を使ってくれたようだ。

2008年　カナダ　ナイアガラの滝

京都大学に留学した経験を持つ彼の日本語は完ぺきで、日本料理の美味しさについてしきりに語っていた。

ワイナリーに到着すると、バスの乗客は先を争って降車し、試飲会場へと急いだ。そのワイナリーの一番の売りは、完熟のブドウを厳寒期に採取し、大事に醸造したアイスワインだった。ブドウは完熟の上、凍り付いた状態で糖分が凝縮しているため、甘くて味の濃いワインに仕上がる。ワイナリーとしては、安めのワインを試飲させ、その勢いで高いアイスワインを売りつける算段らしい。

試飲の盛り上がりに乗り遅れながらも、わたしたちはワイナリーの雰囲気を十分楽しみ、アイスワインをお土産に買い求めた。

〈トロントの青島ビールとご当地ビール〉

話はワインに逸れてしまったが、トロントのビール三昧は続いていて、夕食の中華料理店では、青島ビールを楽しむことができた。ニンニクの香りの強い空芯菜の炒め物、小籠包やエビの水晶餃子といった点心、カシューナッツと鶏肉の炒め物など、中華料理の定番には、やはり青島ビールがピッタリだ。

青島ビールでほどよく酔ってホテルに帰る道すがら、ローカルマーケットでカナダのビールを買い込んだ。モルソン・カナディアン（Molson Canadian）も、ラバット・ブルー（Labatt Blue）も、ボトルのラベルには、メープル・リーフがあしらってある。カナダの国旗でおなじみの楓（メープル）の葉をデザインしたものだ。トロントのアイスホッケーチームは「メープル・リーフス」という名前で、チームのマークもメープルの葉だ。甘い樹液をシロップにするメープルだけれど、もちろんビールは苦いし、ホッケーのプレーも甘くはないはずだ。

三　オーストラリア　メルボルン

次に出席した国際会議は、二〇〇九年七月六日から十一日にオーストラリアのメルボルンで開催された「国際地形学会議（7th International Conference on Geomorphology）」だった。この国際会議は四年に一回、世界各地で場所を転々としながら開催されており、今回は南半球の真冬のさなかに日程が組まれていた。でも、年中ビールを楽しんでいるわたしにとって、冬だろうが、南半球だろうが、そんなことは関係ない。

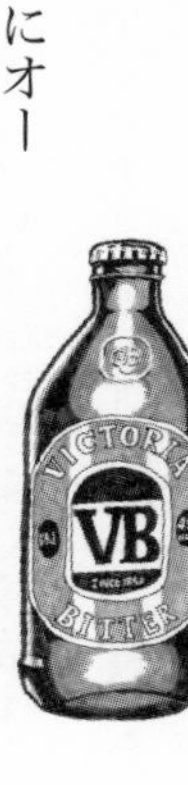

〈新規研究テーマと研究員獲得〉

わたしは国際地形学会議に「石狩川流域における水辺緩衝空間を利用した洪水氾濫原管理に関する研究」について発表する申請をした。石狩川流域では、遊水地整備が計画としてまとまりつつあり、これは石狩川で失われてきた水辺緩衝空間の再生ということができる。行政側の検討成果を使わせてもらうことにより、水辺緩衝空間の意義を裏付けることができそうだ。

その頃わたしたちの研究所では、新しい研究計画の策定が求められていた。わたしは、行政と研究の狭間という特徴を生かし、幅の広い分野を担っている研究所ならではのテーマを模索していた。そして、山から川を通って、海に達する土砂を含む物質循環を一つの新規テーマとして提案した。

一方で、新しい研究の担い手として、大学や他の研究所で活躍している研究者を引っ張り込むことを目論み、任期付研究員を公募することになった。ちょうど、ある大学の任期を終えた優秀な若手研究者が、次なる仕事を探していると聞いていた。彼は、放射性同位体を分析することに長けており、それを使って釧路湿原などの浮遊砂の動きを追いかけていた。彼の研究手法は、新しい研究テーマにも適用でき、それに必要な分析機材は、研究所として準備できる状況にあった。

これで、将来の有望な研究テーマの提案と、それを担う優秀な研究者の獲得と、同位体分析に用いる機械の購入、すべてを一度に実現できるチャンスが訪れた。幸いにも、その研究者の研究実績と研究に対する意欲が認められ、正式に研究員として採用されることになった。国際地形学会議には、研究所からわたしの他にも二人が出席することになり、新人研究員も同行することになった。ただし、彼は、前任の大学の研究成果で発表する予定である。それから、その研究員の大学時代からの同僚である女性も、メルボルンで合流すると聞いていた。

彼のいた大学の教授は国際地形学会議の常連で、もちろんメルボルンの会議にも教え子たちと参加する予定だった。立場が変わったはずの新人研究員は、前任の大学の成果を発表することから、教授の子分のようにふるまっていた。彼の大学時代の同僚女性研究者は、実は彼と婚約していたのだが、婚約のことは教授にはまだ内緒だと口止めされていた。

その大学教授は、手持ちのデーターをうまく組み合わせて論文に仕上げることにかけて天才的という評判だった。その実力について、北海道大学のある教授は「主婦の料理」だと言って賞賛していた。冷蔵庫に蓄えてある手ごろな材料で調理をする主婦のように、あり合わせの材料で美味しい論文を作成する能力が素晴らしいという。選りすぐった材料を取りそろえ、最高の料理に仕上げるシェフのような研究を目指す自分とは違うと北大教授は主張した。

わたしは、「主婦」と「シェフ」の料理をこんな風に比べるのは、けしからんと思う。北大の教授は、この発言で日本中の主婦と家庭料理を敵に回してしまった。

〈メルボルンの国際地形学会議〉

国際地形学会議は、メルボルンの中心部を流れるヤラ川沿いに完成したばかりのメルボルン展示会議場で行われた。国際会議としての規模は、それほど大きいものではないらしいが、三十七のテーマ別セッションが設けられ、四六〇件の口頭発表と三九五件のポスター発表が行われた。わたしは発表件数の最も多かった河川管理というセッションで、口頭発表を行うことができた。地形学会議において、河川管理がメジャーな分野になっていることに驚かされた。

口頭発表後の質疑応答で、ニュージーランドの女性研究者から、石狩川の捷水路による河道の直線化と氾濫原の管理について質問を受けた。人為的に河道を改変して、安定して維持できるのだろうか？　河道を直線化することによって、河川の勾配は急になり、流速は速くなり、侵食が激化したり、元の蛇行河川に戻ろうとしたりする恐れがある。わたしは、貴重な質問に感謝しながら、今のところ河道は安定しているが、将来の急激な変化を指摘する研究者もいるので、注意して見守っていることを伝えた。答えになったか不安に思い確認すると、女性研究者はとても素敵な笑顔でうなずいてくれた。

わたしたちは、国際会議でそれぞれの役割を果たしたことをねぎらいながら、ビールを飲んで夕食を楽しむことにした。研究所の仲間やその知り合いの大学の研究者が集まり、一仕事を終えた満足感に浸っていた。国際会議は、いろいろな国の研究者と知り合うチャンスながら、たまには日本人同士で異国の夜を楽しむのもよいだろう。

〈ビクトリアビター〉

わたしたちは、ヤラ川沿いの遊歩道に続くテラスのテーブルを囲んで、オーストラリアらしい肉料理を注文し、ビクトリアビターで乾杯した。ビクトリアビターは、メルボルンが州都のビクトリア州で醸造されている、コクのあるご当地ビールである。慣れない英語の発表や議論で酷使し、渇ききった喉に、冷たいビールの刺激が心地よい。

同じ日本人とはいえ、様々な教育や研究の経験を持ち、いろいろな組織から参加した方々の話を聞く機会はとても貴重だ。大学や研究所を渡り歩いている任期付研究員は、立場が弱く、長期的な研究計画に基づく取り組みは困難だと不満を述べていた。在籍している研究機関のために働くのは当然のこと、任期後のポストを求めて、様々な研究職の公募に対して申請書を出しまくる。そして、自分のキャリアを高め、公募上も有利にするため、研究成果を積み上げなければならない。

行政機関と研究所を行ったり来たりしている自分たちのことを、「なんちゃって研究員」などと卑下していたわたしだが、立場と待遇に感謝しなければならないようだ。どのような組織にいても、どんな立場でも、悲観する材料はいくらでもある。でも、だからこそ、与えられた組織や立場の強みを生かして、自分のため、社会のために前向きに働くのだ。久しぶりにちょっと謙虚な気持ちで、ビクトリアビターのお替わりを頼んだ。

〈タパス料理とビール〉

国際地形学会議のセッションと現地見学会は、あっという間に過ぎ去り、帰国の途につく日になった。帰りの便は夜中のフライトなので、混雑していてなかなか入れないタパス料理の店に再挑戦した。たまたまカウンターの二席が空いていたので、新人研究者とともに憧れの料理とビールを楽しむことができた。タパス料理とは、スペイン料理でアペタイザー（前菜）として食べる小皿料理のことで、いろいろなタパスを頼んでビールやシェリーのつまみにする。

わたしたちは、エビのアヒージョとイカのカラマーレス・フリートスを頼んで、フォスターズ・ビールで乾杯した。アヒージョもカラマーレス・フリートスもタパス料理の定番で、ビールがどんどん進んでしまう。アヒージョとは、スペイン語でニンニクの小さなかけらを意味している。そのかけらが入った熱く煮えたぎるオリーブ油の中で、プリプリのエビが泳いで

2009年　メルボルン　タパス料理の店

いる。カラマーレス・フリートスは、カリっと揚げたイカのリングフライで、これまたビールのおつまみに最高だ。
　追加で頼んだスペイン風オムレツのトルティージャも、ふっくらとして上品な味付けで、メルボルンの最後の晩餐にふさわしかった。でも、その店としてはアペタイザーと単価の安いビールだけで長居するわたしたちは、決して上客ではなかったようだ。早くメインディッシュとワインに移行しなさい、と急かされているように感じた。
　店の期待に応えず、タパス料理とビールだけで満腹になったわたしたちは、無事に日本に帰るフライトに間に合うことができた。

四　スロバキア

　毎度、海外でビールを飲むためのアリバイ作りに専念しているわたしは、スロバキア行きのツテをメルボルンでつかんでいた。国際地形学会議に出席していたスロバキア人研究者のレホツキー博士と意気投合して、スロバキアの国立研究所からの招待を受けることになったのだ。レホツキー博士は、わたしが発表した研究に興味を示し、講演と議論の機会を作ってくれるという。まあ、社交辞令か日本に対する好奇心のおかげかもしれないけれど、わたしがそんなチャンスを逃すはずはない。

　研究所の元同僚で、大学に移籍していたW教授にスロバキア行きのことを話すと、彼も急遽同行することになった。彼は二〇〇二年にスロバキアを訪れ、モラバ川という蛇行復元した河川を視察した経験があるという。

〈スロバキアのピルスナー・ウルケル〉

　前にも述べたように、わたしはピルゼンビール発祥の地であるチェコのピルスナー・ウルケルの大ファンである。チェコの隣国のスロバキアでも新鮮なピルゼンビールが飲めるはずだ。

レホツキー博士に確認すると、もちろんスロバキアでもピルスナー・ウルケルが多く出回っているが、チェコの醸造所は南アフリカの企業に買い取られてしまったらしい。でも、チェコのモラビア産大麦とザーツ産ホップを使って、昔ながらの製法で醸造しているから、味は変わっていないという。

その後知ったのだが、ピルスナー・ウルケルは二〇一八年四月に日本のビール会社に買い取られ、傘下に入ったという。恐るべし、グローバル資本主義。

二〇一〇年七月十八日、わたしはエコノミークラスで隣国のウィーンに到着し、バスで国境を越え、スロバキアの首都ブラティスラバにたどり着いた。ウィーンからブラティスラバまでは、のどかな田園風景を楽しめる一時間のバスの旅だ。スロバキアは二〇〇四年にEUに加盟しており、オーストリアとの国境は石造りのゲートを通過するだけで、検問はない。レホツキー博士は、わたしをバスターミナルで迎えて、ゲストハウスまで案内してくれた。別便のビジネスクラスに乗ったW教授は、夜遅く到着する予定である。

ブラティスラバはスロバキアの西端、オーストリアの国境近くにあり、ドナウ川の左岸にブラティスラバ城や旧市街が開けている。ゲストハウスは便利なところに立地していて、トラム（路面電車）に乗って旧市街にも繰り出すことができた。

わたしは、夕食をとるために近隣を歩き回り、ピルスナー・ウルケルの看板を掲げたレストランを見つけた。初めてのスロバキアで、一人だけでレストランに入るのにはとまどいがあったが、憧れのピルスナー・ウルケルが待っている。スロバキアではビール一パイントのジョッキが一ユーロほどで飲める。久しぶりのピルスナー・ウルケルは、記憶通りの豊かな香りとほどよい苦みが効いていて、すぐさま飲み干してお替わりを注文した。

〈ドナウ川と地理学研究所のセミナー〉

翌朝わたしたちは、レホツキー博士の職場である地理学研究所に寄り、その後ドナウ川を視察することができた。スロバキア国内のドナウ川には、三つのダムが建設され、貯水池と人工的な河川流路が整備されている。ダムには舟運のための閘門が設置され、川の中には航路標識が目立っている。

ドナウ川はドイツ南部に源を発し、十カ国を縫いながら東へと流れ黒海へと注ぐ、流域面積約八十一万七千平方キロメートル、流路延長約二千八百六十キロメートルの国際河川である。それぞれの国において、ドナウ川の舟運と水力発電利用が進んでいる。ホテル並みの施設を備えた観光船が、沿川の国々をゆったりと巡っていて、その贅沢なツアーが好評らしい。

ドナウ川の人工的な流路の南側には、網状に流れる流路が保全され、穏やかな流れは古の面影を残しているようだった。レホツキー博士の説明によると、元々の景観を守るために環境用水を供給せねばならず、時々氾濫する問題もあるらしい。明治時代から捷水路が掘られて直線化した石狩川の河道と、残された河跡湖の姿を思い出させる風景だった。

ドナウ川の視察から地理学研究所に戻ると、セミナー会場の準備が整い、スロバキアのいろいろな組織から十数人の研究者が集まっていた。セミナー冒頭の講演で、わたしは日本の自然災害の現状と、石狩川の氾濫原管理について説明した。講演の後の質疑応答で議論が深まり、わたしたちの研究所とスロバキアの研究交流についても相談することができた。

〈タトラ山脈とズラティー・バジャント〉

セミナーの翌日から、わたしとW教授はレホツキー博士の案内で、スロバキアの河川や北部のタトラ山脈を視察させていただいた。レホツキー博士の運転する小型車は、蛇行する河川沿いに走り、タトラ山脈の麓に位置するリプトフスキー・ミクラーシュという観光地のホテルに到着した。

2010年　スロバキア　ズラティー・バジャント

ドライブと視察で汗だくになった体をシャワーで洗って、Ｗ教授とレストランのテーブルについた。スロバキアの有名ビール、ズラティー・バジャントをジョッキで飲みながら、夕食のメニューを選ぶ。ズラティー・バジャントはピルスナー・ウルケルと似た、あるいはそれより薫り高いビールだ。

ビールに相性のよさそうな、シュニッツェルという子牛のカツレツ、それからウェイターの勧めるスロバキア料理、ハルシュキをオーダーした。シュニッツェルはオーストリア料理だけれど、スロバキアでも定番のメニューらしい。ハルシュキはジャガイモのニョッキのようなもので、ブリンザという羊のチーズとカリカリのベーコンで味をつけた料理だ。

夕陽が沈むころには、ズラティー・バジャントのジョッキを三杯ほど飲み干し、スロバキアの赤ワインに突入していた。二人で赤ワインのボトルを空けてもまだ物足りなかったので、スリヴォヴィッツで締めくくることにした。東欧で有名なスリヴォヴィッツは、プラムの蒸留酒で、ギンギンに冷やしてショットグラスで飲むことが多い。

視察旅行で案内していただいたタトラ山脈は、二〇〇六年のフェーン現象による強風で、南側斜面の数千ヘクタールの森林が壊滅した。その森林地帯から流下する渓流は、下流側から侵食が進んでいるようだった。渓流周辺には、贅沢な別荘や宿泊施設のような建造物が多く建てられている。しかし、建造物の基礎と渓流との比高差は小さく、洪水や土砂災害の危険性があるように見えた。

わたしとW教授は、その地域の危険性を指摘したが、レホツキー博士は深刻には捉えていなかった。わたしたちも短時間の視察だけで断定する自信は無く、杞憂に過ぎないと思いたかった。

しかし、その八年後の二〇一八年七月に、この地域が豪雨による氾濫で深刻な被害を受けたと知って驚いた。当時撮影した橋やロッジに酷似する施設の被災写真がネット上に掲載されていた。

スロバキア滞在はレホツキー博士のお蔭で、とても有意義に過ごすことができ、その二ヶ月後には彼の来日を歓迎することになっていた。わたしのいた研究所では彼の講演するセミナーを企画しており、石狩川流域の視察やW教授の大学訪問のスケジュールを組んでいる。そうして、研究交流の世界的な輪を広げ、世界平和のうねりを作りだすのだ。ただ無駄に海外の美味しいビールを飲んでいるだけではない。

五　オランダ

オランダでは「Room for the River」という国家的取り組みが行われていることを昔から聞いており、現場を見たいと常々思っていた。オランダは国土の四分の一が海水面以下で、高潮や洪水災害が深刻なため、海岸や河川管理に重点を置いた国土保全が進められてきた。過去には洪水対策として堤防を高くしてきたが、二〇〇七年には、河川の堤防嵩上げをやめて、河川に余裕を持たせた土地利用を目指すようになった。

その一連の国家的なプロジェクトが「Room for the River」で、わたしはこれを「河川に空間的余裕を！」と理解している。国土の土地利用を見直して河川空間に余裕を持たせることが、国土の安全性向上と環境保全のために望ましいと宣言しているのだ。この取り組みの目的は、わたしが主張している「水辺緩衝空間を利用した洪水氾濫原管理」と同じである。

〈オランダの水理研究所〉

そんな思いを持ち続けていた時に、オランダのデルタラス（Deltares）という水理研究所のギリ博士と出会うことができた。彼は、わたしが働いていた研究所に研究交流で滞在していて、仲間の研究者が紹介してくれたのだ。わたしは、是非とも現場を見たいので、オランダ訪問の受け皿になってくれるようにお願いした。講演依頼の招待状があれば、研究所の旅費でオランダに出張ができそうだ。

ネパール出身のギリ博士は、北海道大学で博士の学位を取得した後に、オランダの研究者の職に就いたという。もともとソビエト連邦の大学院で学位を取ろうとしていたが、ソビエトの崩壊で行き場を失い、日本に渡ってきたらしい。

ギリ博士は、わたしの説明に興味を示してくれたのか、それとも研究所に一ヶ月滞在したギリを果たそうと思ったのか、わたしをデルタラスに招待してくれることになった。デルタラスはオランダのデルフトにあって、水理・水文や水資源の多岐にわたる分野の応用研究を実施しており、国際的な研究・技術協力にも積極的である。

そんなこんなで、二〇一四年八月二十七日から九月一日まで、わたしのオランダ訪問が決まった。研究所の同僚研究者二人も、他のヨーロッパの研究交流のついでに同行する予定を組んでいた。
オランダとの研究交流の一番の目的であるデルタラスにおける講演は、八月二十八日の昼食時に行われた。この研究所では、忙しい研究者や技術者でも気軽に参加できるように、ランチタイムを利用した講演会が頻繁に開催されるらしい。わたしごときの講演に百人以上の聴衆が集まってくれたのは、ビュッフェ方式で提供されるサンドイッチのお蔭だろう。
わたしは、自分のいた研究所の研究活動を宣伝し、日本の洪水被害や洪水氾濫原管理について説明した。石狩川の洪水氾濫原の変遷や遊水地事業などの水辺空間の活用は、オランダの「Room for the River」と相通じるテーマであり、聴衆にも興味を持っていただけたようだ。講演後には多くの質問が寄せられ、発表のスライドの提供を求める研究者もいた。あつかましく訪問した甲斐があったと自己満足した。

〈デルフトのカフェ〉

ギリ博士は、研究所内とデルフト工科大学を案内してくれた後、わたしたちをホテルまで送る道すがら、屋外カフェに寄った。カフェの広場には、枝張りの良い木々の間にテーブルが設置され、枝張りの隙間に大きな日傘が広げられている。広場の周りには屋内カフェやレストランが取り巻いていて、席に着くと近くの店の店員が注文を取りにやってくる。

ギリ博士は普通のビールは苦手だと言って、ホワイトビールを好んだ。ホワイトビールは、小麦を使った上面発酵ビールで、ホップを使っていないので苦みがなく、果実の香りがして酸味が効いている。わたしは、まずは本場オランダのハイネケンを頼み、次はベルギービールのデ・コーニンクのほど良いコクを楽しんだ。

2014年　オランダ　ワール川視察

「Room for the River」プロジェクトは、二〇〇七年に計画が決定され、二〇一八年に完了する予定であった。この計画に基づいて、オランダ各地三十箇所以上で対策が進められており、この訪問時には二箇所の現場を見せていただいた。農地の再編をして遊水地利用を進め、住居を高台に移すノードワード地区と、ワール川の水制工の切り下げ工事が、その二つの現場である。ギリ博士がオランダ政府に依頼してくれたおかげで、現場の担当者の案内で詳しい説明を聞くことができた。

〈クロケットサンドとハイネケン〉

オランダ滞在期間中に週末の休日があったので、デン・ハーグにあるマウリッツハイス美術館とアムステルダムのゴッホ美術館に案内していただいた。オランダは鉄道網が整備されていて、デルフトからデン・ハーグやアムステルダムに一時間ほどで行くことができる。電車の車窓から見える田園や運河、その中に配置された都市の対照的な景色に見とれてしまう。

マウリッツハイス美術館では、フェルメールの「真珠の耳飾りの少女」を始め、レンブラントやルーベンスなどの有名な画家の絵画を見ることができる。真珠の耳飾りの少女は、頭に巻いたフェルメールブルーの布ときらめく真珠の耳飾りが目を引き付ける。でも、なによりも振り返った少女の目の表情がとても魅力的だった。

ゴッホ美術館には、当然のごとく数百というゴッホの作品が展示されている。すべてのゴッホの作品が集まっているわけではないのに、展示場は三階建てのビルを埋め尽くしていて、それだけでもゴッホの創作熱意が感じられる。彼が生きているうちに、その熱意と芸術性が認められなかったのはとても残念なことだ。美術館は鉄筋コンクリートの建造物で、入場するのに一時間ぐらい歩道に並ぶ必要があった。

美術館巡りの合間に、カフェに立ち寄って、コロッケの挟まったサンドウィッチとハイネケンで昼飯にした。日本のコロッケは、オランダのクロケットが伝わってきたものと言われており、黄金色の衣に、イモやコメが包まれている。屋外のカフェで、昼間からクロケットサンドでハイネケンを飲むなんて、なんて贅沢な旅なんだろう。その上、フェルメールにゴッホだぜ！

昼食をとりながら、ギリ博士となぜか経済学の議論になってしまった。国土を守り環境を保全するような仕事は、市場経済の競争原理に任せておくわけにはいかない。その話の延長で、宇沢弘文さんの「社会的共通資本」を紹介したところ、ギリ博士はとても興味を持ったようだ。

社会的共通資本とは、ゆたかな経済社会を営み、すぐれた文化を展開し、人間的に魅力ある社会を持続的、安定的に維持することを可能にするような、自然環境や社会的装置を意味する。つまり、人間が生きていくうえで必要な、空気や水、大地や海から、法律や制度、建築物や土木構造物などを含む資本である。

ギリ博士は、スマホを取り出して宇沢さんについて検索をして、大きくうなずき、すっかりその理論に傾倒したようだった。

なぜ、ネパール出身工学研究者と日本人のわたしが、オランダのカフェでビールを飲みながら、宇沢弘文さんの話をしているのだろう？　そう疑問に感じながらも、議論は過熱してきた。オランダのクロケットサンドとハイネケンのお蔭だろうか？

第六章　二〇〇七年～二〇一五年　アジアのビール再び

わたしが海外勤務時にお世話になったマレーシアのロウ氏（Mr. Law）から、二〇〇七年に友人を通じて連絡をいただいた。ロウ氏は、マレーシアの水資源省の技術者で、台風委員会の政府代表として、また水文部会をまとめる議長として活躍していた。それまで国際会議の経験がなかったわたしは、彼のおかげで仕事を進めることができた。

ロウ氏は、仕事だけではなく、アジア料理の幅広く奥深い美味しさを教えてくれた師匠でもある。マレーシアに限らず、一緒に出張で巡った韓国・タイ・香港・フィリピンなどの国でも、彼から美食を楽しむすべを教わった。

ロウ氏は、日本政府からマレーシア政府に派遣されていたＪＩＣＡ専門家ととても良いコンビで、仕事でもプライベートでも仲良くしていた。わたしはマレーシアに行くたびに、彼らと一緒に美味しいものを食べ、タイガービールやアンカービールを飲んだ。マレーシアのビールは、中華の海鮮料理も、辛いマレー料理やインド料理の味も引き立ててくれた。

一　マレーシアの旧友との再会

〈旧友はベジタリアン〉

ロウ氏が九州に住む元ＪＩＣＡ専門家を通じて、石狩川や釧路川の遊水地を視察したいと連絡してきた。ロウ氏はマレーシアの水資源省の河川技術者たちと一緒に遊水地について調べていて、北海道の事例を知り、興味を持ったらしい。そして、うれしいことにわたしを思い出してくれたのだ。

わたしは、石狩川の砂川遊水地と釧路遊水地の資料を送り、北海道視察の行程を提案し、ロウ氏に是非とも来道するように誘った。結局、水資源省としての視察旅行は認められなかったが、ロウ氏は家族旅行で北海道を訪れると連絡してきた。

二〇〇七年十月、ロウ氏は奥さんとお嬢さんを連れて、友人のいる九州から日本を鉄道で縦断して、北海道までやってきた。わたしは、レンタカーで洞爺駅まで迎えに行った。夕方に洞爺駅に着く特急北斗から降りて来た彼は、昔の面影のままだった。

しかし、十数年前の彼とは嗜好が大きく変わっていた。あれほどアジアの美食とビールが好きで、スコッチの飲み方まで教えてくれた彼が、厳格なベジタリアンになっていたのだ。

2007年　ベジタリアン料理

肉も魚も食べないし、酒はもってのほか、魚の出汁も味醂もダメだという。
じゃあ何を食べるの？　と聞くと、野菜と果物、穀類やナッツ、特に日本の米と味噌汁が大好きという。でも味噌汁が好みとはいえ、鰹節や煮干しは使えないので、コンブやシイタケで出汁を取らなければならない。そばも大好きだけれど、これまた動物性の出汁はダメで、酒や味醂も使ってはいけないという。
そんな彼らをベジタリアン用の食事で歓待するため、洞爺駅前のレストランを予約していた。そのレストランは、洞爺湖畔で「有珠山噴火ラーメン」などの面白いメニューを開発していた店舗の姉妹店だった。店主に電話で事情を説明すると、半ば面白がって快諾してくれた。
そのレストランの献立は、肉も魚も入っていないのに、とても豪華で美味しかった。秋の山海の味覚が盛りだくさんで、そうかこの手があったか、と一つ一つ感心させられる。クリと銀杏から始まって、野菜や各種のイモ類、豆などを組み合わせて、煮つけや炒め物、胡麻和えなど、とても彩り良く盛り付けてあった。

日本料理は、豆腐や湯葉などをあげるまでもなく、ベジタリアンが喜ぶ食材に満ちている。美味しく炊けたごはんと昆布の出汁で作った味噌汁だけでも、充分腹いっぱいになる。食後のデザートは、誰にでも楽しめる季節のフルーツだ。わたしは洞爺湖温泉街の宿まで運転しなければならなかったので、この日ばかりはビールを我慢した。

〈アジアの水関係災害と防災に関するワークショップ〉

二〇〇七年十月十五日には、ロウ氏にも参加してもらい、アジアの国々の水関係災害と防災についてのワークショップを札幌で開催した。ロウ氏には、マレーシアの洪水災害と被害軽減の取り組みについて講演してもらい、タイミングよく来札していたネパール人研究者にも土砂災害の話題提供をお願いした。日本側からは、スリランカの津波災害を調査してきた若手研究者、バングラデシュから帰国したばかりの河川行政官にも発表してもらった。

このワークショップには、つくばで国際的な研究グループを率いている研究者や、ロウ氏の親友も九州から駆けつけてくれた。マレーシア、スリランカ、ネパール、バングラデシュの話題が集まり、海外経験豊富な面白い連中が一堂に会した。当初は、ロウ氏の来道に合わせたアリバイ作りのような企画であったが、とても意義深い議論を交わすことができた。

ワークショップが終わって、会場近くの居酒屋で打ち上げとなった。わたしたちは焼き鳥やビールで盛り上がり、ロウ氏も枝豆やネギ焼き、野菜サラダを味わって喜んでいた。そう、日本発の枝豆はダイエットにも良い健康食品として、今や世界的に、特に女性の間で大評判をいただいているのだ。わたしは、やはりビールのつまみとして枝豆の存在は大変貴重であり、とりあえずビール！ と叫ぶときには、枝豆も注文して欲しいと心から願っている。「とりあえずビール」という言葉は、あまり使いたくはないけれども…。ビールに失礼だよね。

二 マレーシアとの共同研究

ロウ氏の来道以来、彼と連絡を密に取り合いながら、わたしのいた研究所とマレーシア水資源省との共同研究を仕込もうと画策した。マレーシア水資源省

かんがい排水局は、日本の総合治水や氾濫原管理の考え方に興味を持っていた。

マレーシアの首都クアラルンプールは、「泥が合流する場所」という意味で、クラン川とそれに合流するゴンバック川が、錫の採掘で濁っていたころについた名前らしい。クアラルンプールは歴史的に洪水の被害を受けており、マレーシア水資源省ではクラン川流域の治水についても力を注いできた。

ロウ氏がワークショップで紹介してくれた、クアラルンプールの治水事業の中には、スマート（SMART）プロジェクトという、道路事業と治水事業が合体したような対策があった。普段は高速道路として機能している地下トンネルが、豪雨時には洪水調整池として利用されるというのだ。クアラルンプールの位置するクラン川・ゴンバック川流域では、ダム事業や河川の拡幅、遊水地、放水路などの治水対策が進められてきた。しかし、近年いよいよ対策のための空間的な余裕がなくなり、道路さえも調整池として活用することにしたらしい。

二〇〇八年二月に、遊水地の水理学的機能と維持管理に関する議論と現地調査を行うために、わたしのいた研究所とつくばの国際研究センターの研究者チームがマレーシアを訪れた。この企画は、マレーシア水資源省のOB技術者であるロウ氏がマレーシア政府に働きかけてくれたおかげで実現したものだ。マレーシアのクアラルンプールでは、水資源省の局長が主宰する共同研究の会議がセットされていた。また、会議と現地調査を行った後に、マレーシア南にあるジョホール州のトゥン・フセイン・オン・マレーシア大学の講演会に参加することができた。

〈マンゴスチンサラダとタイガービール〉

マレーシアでは、いろいろな国の美味しい食事を味わうことができる。マレーシアという国には、マレー系・中国系・インド系の人々が集まっていて、それぞれの誇りとする料理がそろっている。そして、熱帯地方のフルーツも豊富で、色鮮やかで様々な形をした果実の、バラエティーに富んだ味が楽しめる。

マレーシアの方々には申し訳ないことなのだけれど、わたしはクアラルンプールにある、ベトナム料理のレストランが気に入っていた。人気の料理は、マンゴスチンサラダといって、果物の女王であるマンゴスチンの白い果肉がたくさん乗っている野菜サラダだ。マンゴスチンのほのかな酸味と優しい甘みを、ゆでたエビと野菜が絶妙なバランスで引き立て、ナッツの入った胡麻ドレッシングが味を引き締めている。

クアラルンプールに行くたびに、このベトナム料理レストランに行って、まずはタイガービールとマンゴスチンサラダを頼んだ。それから、小さくてカリっと揚がっている春巻やフレッシュな生春巻で、さらにタイガービールと白ワインを楽しむ。

そのレストランには、庭の木陰にパラソル付きのテーブルと椅子が並べられ、夜風を楽しみながら食事をすることができる。暑かった日差しが夕陽に変わり、少しずつ涼しくなる中で飲む冷たいタイガービールは格別だった。すっかり暗くなるころには、レストランの室内も庭のテーブルも満席になり、現地の家族連れと、欧米系の観光客が入り混じって歓談している。

〈バトゥ・パハトのスイカジュース〉

現地調査の途中で、クアラルンプールから二〇〇キロメートルほど南下して、バトゥ・パハトという町に寄る機会があった。投宿するホテルで夕食をとろうとしたが、そのホテルのレストランは満席で、暑い町中をしばらくさまようことになった。

わたしたちは一時間近く町中を探し回り、歩道にせり出すように設えた食堂に、やっと席を見つけることができた。そして、魚のカレーと鶏肉と野菜の炒め物、そしてタイガービールをオーダーした。

2008年　タイガービールとスイカジュース

　食堂の主人はマレー語しかできないらしく、わたしたちとの会話を避けているようだった。わたしたちが、チキン、魚などの英語の単語で注文すると、不機嫌そうに見えていた主人の表情が引き締まり、てきぱきと調理に取りかかった。その鮮やかな手さばきを写真に残そうとカメラを向けると、愛嬌のある笑顔になって、出刃包丁を上段に振りかざしてポーズをとってくれた。わたしたちはその笑顔に安心し、タイガービールを追加注文した。

　同行した酒の飲めない研究者は、スイカジュースを頼んだが、プラスチックのコップに口をつけるなり、ギャッと叫んでジュースを噴き出した。腐っているのか、魚臭くて飲めないという。みんなで味を確認してみると、確かにフィッシュカレーの臭いがこびりついていて、スイカの青臭さも全く消えている。

　臭いの出所について議論している内に、食堂の入り口に置いてあるバケツを見てその原因に思い当たった。食堂で使った食器は、全て一緒にそのバケツに突っ込み、貴重な水を節約しながら、グワンラ、グワンラと洗っているのだ。当然、フィッシュカレーのこびりついた皿もスイカジュースのプラスチックコップもその中でかき混ぜられ、味も臭いも共有してしまうのだ。あな恐ろしや。

やはり、どうせ飲むならば、衛生的に瓶詰されているビールが一番良いのだ。飲めない人には申し訳ないけれど…。

三　マレーシア　クアラルンプールとムアル川

ロウ氏の紹介でマレーシアの水資源省とわたしたちの研究グループは良好な関係を築くことができた。二〇〇八年から三年間続けて、わたしたちはマレーシアを訪れ、共同研究の準備を進めた。毎回、クアラルンプールでは、共同研究のＭＯＵ（Memorandum of Understanding～覚書）締結に向けた会議を行い、地方都市の現場を視察する機会も作ってもらった。

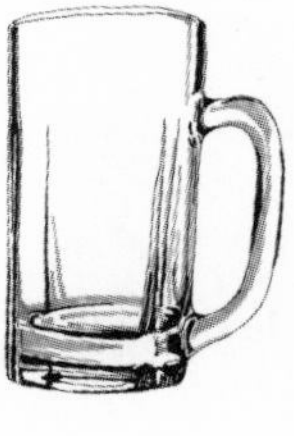

共同研究は、日本とマレーシアの氾濫原の洪水被害を軽減し、水辺の環境を保全すること

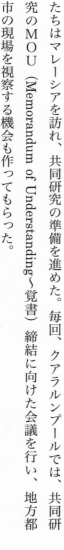

を目指していた。それぞれの国の氾濫原の現場の実態を把握し、それに適した対応策を研究し、将来の国土の発展に寄与することを目的としている。そして、その研究成果は、日本とマレーシアに限らず、アジアの洪水被害の深刻な国々にも活きるはずだ。

なんて、タテマエはその通りなのだけれど、大好きなアジアの美味しい料理とビールを楽しみたいという下心もあった。

〈ビール抜きの夕食〉

せっかくの美味しい料理を前にして、ビールを飲めない夕食を経験したことがある。マレーシア政府の要職にはマレー系の方々が多く、彼らはイスラム教徒であるため、酒を口にすることはない。

マレーシア水資源省の方々と現場を訪れた後、一緒に夕食をとろうとムスリム御用達のレストランに入った。暑い現場を視察した後の、日が沈んで涼しい風が吹き始めた川沿いの屋外レストランは、ビールを飲むには絶好のシチュエーションに感じられた。常連の彼らは、マレー風焼き鳥のサテーをはじめ、郷土料理を頼み、飲み物を何にするか聞いてくる。

わたしは、試しに「ビール」と言ってみたが、皆から冷たい視線を浴びせられ、聞き流されてしまった。あわてて「冗談だよ、コーラが飲みたい」と言い直したが、白けた雰囲気はしばらく解けなかった。

ビールがなくても、サテーは美味しいし、一緒に現場を見て前向きな議論をする仲間たちと囲む食卓は、とても楽しかった。日本から同行してくれた研究者たちは、せっかくの雰囲気を凍り付かせたわたしを睨んだが、ビール抜きの食卓を盛り上げてくれた。

ムスリム御用達のレストラン

〈共同研究の企画と研究所の業務〉

二〇〇九年にもマレーシアを訪れることになり、ロウ氏にもメールで相談しながら、マレーシアの水資源省と連絡を取り合っていた。そんな時、同行予定のW教授がムアル川を見に行こうと言い出した。ムアル川はマレーシア南西部を流れる川で、クアラルンプールから一五〇キロメートルほど南でマラッカ海峡に注いでいる。

W教授は、下流部でぐにゃぐにゃと大きく蛇行しているムアル川をグーグルマップで見つけて現地を見たくなったらしい。彼は、河川工学の専門家で、蛇行のメカニズムを研究していたこともある。実験水路に平たく砂を敷き、水を流して自然に蛇行していく流路を見て、ほくそ笑んでいた彼を思い出した。

前にも述べたが、W教授は研究所で一緒に働いていた仲間で、研究所の内部管理の仕事に逃げようとするわたしを研究に導いてくれた恩人だ。その後、必要に駆られて書類仕事と研究評価に追われているわたしの姿を見て、研究所の未来は暗いと判断し、大学に移ってしまった。まあ確かに、独立行政法人として組織改編の混乱の中、わたしたちは膨大な事務仕事をこなしていた。その上、内部評価委員会や外部評価委員会が立ち上げられ、研究評価のための書類仕事に追われ、評価されるべき研究が進まないという悲しい状況にあった。

でも、これには後日談があって、W教授は三年も経たないうちに、泣き言を並べ研究所に戻りたがった。大学はさぞ研究ができるだろうと思って期待したのに、大学法人化の流れで研究所以上に書類仕事が激増したらしい。

わたしは、気分転換のためにもマレーシア行きは良いはずだと、W教授に声をかけ、要望に応えて蛇行するムアル川の視察も行程に組み込んだ。わたしは、なんてお人よしなのだろう？

話は戻って、二〇〇九年のマレーシア出張では、まずクアラルンプールの水資源省かんがい排水局で共同研究の議論をして、共同研究の道筋をつけた。わたしとW教授から北海道の遊水地などの治水対策、河川工学や水理学の話題提供を行い、共同研究の意義を理解してもらった。

〈ムアル川の視察〉

クアラルンプールでの会議とスマートプロジェクト視察の翌日、わたしたちはマレーシア政府の職員の案内で、ムアル川へと向かった。かんがい排水局のムアル地方事務所では、二〇〇六年の大洪水の状況について説明を聞くことができた。ムアル川流域の広範囲にわたって浸水し、ムアルの町は三ヶ月間水没していたという。

それから、ムアル地方事務所の河川管理用のボートに乗せていただき、ムアル川を水上からじっくりと視察した。ムアル川の下流部は、低平地を大きく蛇行していて、船上からは流れを感じることができないほど緩やかだった。川沿いには、いくつかの小さな集落やモスクなどが見え、過去から舟運が盛んであったことがうかがわれる。

2009年　ムアル川視察

ムアル川流域では、近年洪水氾濫被害が深刻化しており、政府職員はその原因と対応策を検討しているそうだ。短期的な視察だけの推測ではあるが、洪水氾濫原の土地利用変化に問題があるように感じられた。

マレーシアの主要な輸出品としてヤシ油があり、それを生産するためのパームヤシのプランテーションが流域に増え続けているらしい。ボートで水面から見ても、車で氾濫原を走っていても、パームヤシの濃い緑が目立っている。パームヤシは水没に弱い植物なので、排水路をしっかり張り巡らし、雨水を河川に早く流す仕組みができている。

この地域は地形的に湿地が多かったと思われ、以前は降雨がある程度流域にとどまって、ゆっくりと河川に流れ込んでいたのだろう。それが、雨水の湛水を許さないパームヤシのプランテーションが増えたことにより、河川に対する負荷が増大した可能性がある。

〈旧友の訃報〉

わたしたちとマレーシア政府の間で共同研究の議論が進む中、二〇〇九年四月にロウ氏が亡くなったという訃報が届いた。クアラルンプール近郊で友人とゴルフを楽しみ、昼食を食べた後、心不全で倒れたという。健康のためにベジタリアンになって、酒も慎んで体を大切にしていたのに、五十九歳という若さで逝ってしまった。

彼の遺志を継ぐ意味も込めて、共同研究の枠組みの合意文書の締結を目指し、二〇一〇年にもマレーシアを訪れた。マレーシア国水資源省かんがい排水局の職員は、わたしたちを温かく迎え入れてくれた。しかし、共同研究への議論はなかなか前に進まず、熱意は徐々に冷めてきているようにも感じられた。ロウ氏が亡くなって、間を取り持つ後ろ盾がなくなってしまったせいか、それともわたしたちの方が彼を失って意気消沈していたのだろうか？

かんがい排水局における会議と現地視察の後、わたしたちはホテルで汗を流してから、毎度おなじみのベトナム料理レストランに向かった。

ロウ氏と会えないことはとても寂しいが、彼の奥さんと娘さん、息子さん家族を招待した。そして、シンガポール勤務だったわたしの娘も、バスに乗ってクアラルンプールで合流し、一緒に食卓を囲んだ。ロウ氏の娘さんはわたしの娘と同世代で、二〇〇七年に来道して以来連絡を取り合っているようだった。

いつものようにわたしたちは、タイガービールを飲みながら、マンゴスチンサラダとベトナム風生春巻きを楽しんだ。わたしは、持参した昔のロウ氏の写真を奥様に見ていただき、当時の様子を説明した。わたしが慣れない国際会議でうろたえている時に、水文部会議長で、マレーシア政府の代表でもあるロウ氏の存在が救いだった。

ロウ氏の奥様は、写真を見て涙ぐんでしまったが、娘さんは明るい声で応じてくれた。一歳になったばかりのロウ氏のお孫さんの笑い声が、その場を和ませる。ロウ氏に対する長年の恩に十分に報いることはできなかったが、少しでも次世代に引き継いでいく努力をしよう。

四　香港からのサイクリングツアー

〈特命係のお仕事と相棒〉

二〇一三年の夏、香港から四人のサイクリングツアー客が来道するので、わたしは新千歳空港に迎えに行くことになった。その時、わたしは北海道の基盤整備や国土保全を行う組織勤務で、役人にしては自由度のある立場にいた。

転入したときの前任者からは、決まった仕事はないという引き継ぎだった。上司に相談すると、おまえは特命係だ、何をするかはこれから決めるから、ちょっと待てと言われた。人気ドラマ「相棒」の主人公、警視庁の「特命係」の刑事のように、組織のしがらみにとらわれず、華々しい活躍ができるかもしれない。

香港からのサイクリングツアー

わたしは、急いで「特命係のお仕事」という提案を書き上げ、これがわたしの任務ですと上司に対して宣言した。役所の階層構造の中で、横並びと前例の踏襲に縛られたままでは、動きづらい問題も多いはずだ。だからわたしは、研究的なセンスと海外経験を生かして、専門家と連携し、関係機関との調整を行って、柔軟で遊軍的な仕事をします。と調子のいいことを言いながら、実は自分のやりたい仕事を書き並べたのだ。ただでさえ忙しい上司は、すんなりと認めてくれた。

そんな状況のわたしに、サイクリングツアー客の受け入れの依頼があったのだ。わが組織では、北海道の活力アップのため観光を目玉にしていたし、国道の管理者としてサイクリングの安全性向上も目指していた。

香港から連絡をしてきたのは、わたしがフィリピンにいたころ、お隣さんだった香港人のご夫妻である。その奥さんの妹と仲間たちが、北海道のサイクリングツアーを予定していた。彼らが怪我でもしたら大変だから、緊急時の連絡先としてだけでも対応して欲しいという依頼だった。

わたしはその依頼を快諾し、彼らの到着する新千歳空港まで迎えに行くと約束した。そして、休暇届を書こうとしたが、思いとどまった。香港の四人のサイクリングツーリストから、北海道の観光や道路について課題を指摘してもらうことは、組織としても大事なことだ。

上司にも事情を説明し、観光行政に関わっている仲間に事情を話すと、若者の事務官を是非一緒に連れて行けと勧められた。特命係に相棒が加わって、テレビドラマの様な展開が望めそうだ。その事務官は、ドイツの領事館に書記官として勤務経験があり、優秀で魅力的な若者だった。

早速、彼に経緯を説明し、彼の上司にも了解を得て、一緒に千歳空港まで迎えに行くことにした。彼は、急ぎの仕事に追われているようには見えず、軽いノリで付き合ってくれることになった。少なくとも彼は、余計な仕事を増やしやがって、と恨むような人ではなかった。

〈サイクリング四人組とテレビクルー〉

香港からの四人組は出発前に撮った写真を送ってくれていたが、人違いの心配もないほど、派手に到着ゲートから登場した。四人分の自転車を詰めた段ボールと大きな荷物をカートに載せて、満面の笑みで現れたのだ。サイクリストの装いの女性三人と男性一人を迎え、ハグしそうな勢いの彼らに圧倒されながら、わたしたちは両手で握手をした。

その時、カメラマンを含む取材班らしき三人が近づいて、わたしたちに恐る恐る声をかけてきた。受け取ったチラシと名刺を見ると、テレビ東京の人気番組「Ｙｏｕは何しに日本へ？」の取材クルーだった。わたしは、役人の癖で思わず反応して、自分の名刺を差し出した。わたしの職場の明記された名刺を見た彼らは、国として招待したお客様だと勘違いしたのか、撮影許可を依頼してきた。

わたしは、彼らさえ了解すれば歓迎だし、どんどん宣伝してくださいと答えた。わが組織としても海外のお客様の観光が増えることを願っている、北海道の美しい映像を撮ってくださいと付け加える。

サイクリング四人組は密着取材のオファーに喜んで同意した。彼らは翌日取材クルーと旭川で落ち合うことになり、美瑛町と富良野市のサイクリングツアーの密着取材が決まった。

サイクリング四人組とわたしたち二人は、空港内にある喫茶店でお茶を飲み、サイクリングツアーの予定を確認した。彼らは、旭川から白金温泉、富良野二泊、岩見沢、登別温泉、洞爺湖、岩内、積丹、小樽、札幌を巡る行程を組んでいた。十一泊十二日で約七百四十キロメートルを走破する強行スケジュールだ。富良野ではGreat Earth Furano Rideというイベントが開催されるので、それに予定を合わせたらしい。

わたしは、仕事として空港まで来たことを思い出し、道路行政や観光行政に生かすために、彼らのサイクリングツアーの様子や感想を聞かせてもらう約束を取り付けた。

彼らは喫茶店で一休みした後、レンタカーの手続きをして、自転車の梱包を解いてワゴン車に積み込んだ。梱包していた段ボール箱は折りたたんで、空港の荷物預かり所に置いていくことにした。自転車で北海道を走り回った後、また空港で自転車を梱包して持ち帰ることになる。

〈北海道サイリングツアーの評判〉

北海道のサイクリングの楽しさは、アジアではよく知れ渡っていて、特に台湾のサイクリストが、英語と中国語のブログで詳しく紹介しているらしい。その情報を基に、彼らは旅行コースを決め、宿泊施設を事前に簡単に予約できたという。そして、彼らは自転車をこいでいる間も、スマホをハンドルに固定して、情報ツールとナビゲーションとして利用していた。

北海道の景色に彼らはとても感動し、憧れていた積丹半島の神威岬を訪れることができたと喜んだ。香港や中国の交通事情に比べて、はるかに安全な道路だと褒めていた。そして、岩内や積丹では、美味しいシーフードを堪能したようだ。

また、休憩中や宿泊時に自転車の盗難を心配する必要がないことも驚きだったようだ。鍵をかければ自転車を外に置いておいても盗まれたり壊されたりする恐れがない。宿泊施設も食堂も安心できるし、何を食べても美味しいし、トイレもきれいで何の心配もないとべた褒めだった。旅先で会った日本人は、ほとんど英語が通じなかったが、みんな親切で助けてくれたらしい。ややこしいことは、漢字の筆談で意思疎通できることも強みである。

わたしは彼らが香港に帰る前日、愛用の折りたたみ式自転車を持ち出して、小樽から札幌まで同行させてもらった。その日は、不慣れなわたしを真ん中に挟んで、ゆっくりと誘導してくれた。彼らはただ走るだけではなく、日本人は気にも留めないような沿道の花を愛でたり、景色を楽しんだりしている。十時ごろになると、沿道からは見過ごしてしまいそうなカフェに入り、コーヒーや紅茶、パンケーキでエネルギー補給をした。

サイクリング四人組の札幌最後の晩、わたしは女房と事務官の相棒を連れて、一緒にビアホールで食事を楽しむことにした。サイクリング四人組は、無事に走り切った満足感に浸っているようで、日に焼けた満面の笑顔で現れた。わたしたちは、北海道でしか飲めないサッポロクラシックで乾杯をして、海鮮料理に舌鼓を打った。

もちろん、彼らの経験を道路交通行政に生かすため、わたしはインタビューも忘れなかった。四人は、スマホで撮ったたくさんの写真を次から次へと繰り出し、楽しかった旅の思い出を興奮して話し続けた。

〈密着取材の番組放映〉

数週間後、「Ｙｏｕは何しに日本へ？」の放映前に、テレビ局から不自然なほど丁寧な連絡がきた。放映日時の通知と取材した映像を利用することの許諾要請だった。わたしは、空港で彼らに伝えたように、四人組の楽しんでいる姿や美しい風景が、北海道観光の追い風になるよう期待していると答えた。

テレビの映像を見て、空港でカメラマンが、わきの下に抱えたカメラでわたしを狙っていたことに遅まきながら気がついた。「K省H局としても海外のお客様の観光が増えることを願っています。北海道の美しい映像を撮ってください」とわたしが答えている。その上、映像の下側に「H局が撮影を許可」の文字が入っていた。お堅い役所から予想に反して許可を得たと誇りたいらしい。

わたしは翌日、とても不安な気持ちで役所に出勤した。テレビ放映を予め職場の仲間に宣伝していたことを後悔しながら、執務室に閉じこもっていた。

しかし、わたしは上部組織から責任を追及されることもなく、職場の仲間から非難されることもなかった。テレビカメラの前でわざと受けを狙ったかのように誤解をする人までいた。道外で働いている仲間からも、見たよー、面白かった、と電話連絡があり、恥じ入りながら弁解をする羽目になった。

最初の番組放映では、撮影クルーにしてやられたが、ちょっとだけリベンジする機会があった。数ヶ月後、この番組を東京圏で再放送する予定があるので、許諾して欲しいという連絡が来た。わたしは、その間に転勤をしていたため、前の職場から連絡先を聞いて電話をしてきたようだ。放映を了解するかと問われて、わたしは「あの番組のせいで、ここに飛ばされてしまった」と暗く答えてみた。電話の向こうでは絶句してしまったようで、唾を飲み込む音が聞こえる。

担当者がかわいそうになって、「冗談、冗談。あんな映像を撮っているとは知らなかったけれど、組織内でも評判は良かったですよ」と慌てて付け加える。「いやいやいや、人が悪いなあ。びっくりしました」と担当者も電話の向こうで笑ってくれた。

五　香港の結婚式

サイクリングツアーの連絡をしてきた香港のご夫妻から、今度は結婚式の招待状が来た。フィリピンに住んでいたときに生まれた息子さんが結婚するので、是非参列してくれと言うのだ。息子さんは、フィリピンで生まれたから、フィリップと名付けられていた。

わたしと女房は、喜んで参加させていただくことにした。新郎の両親は、十年ほど前から毎年のように北海道を訪れてくれたので、わたしたちはマニラで隣同士だった時以上に親密

になっていた。女房は日本に帰ってきて、すっかり英語から遠ざかっていたが、言葉なんてどうにかなるものだ。

〈香港美食ツアー〉

二〇一四年の秋、わたしたちが千歳発のキャセイパシフィックで夜遅く香港に着くと、友人ご夫妻は空港まで迎えに来てくれた。香港の国際空港は、二十年前の狭苦しくごった返していたイメージとは大きく異なり、広々として清潔感にあふれている。友人の旦那は、その国際空港の拡張工事の現場のマネージャーをしていると誇らしげだった。わたしたちは、旦那の運転するカムリで九龍のホテルまで送ってもらい、翌日の約束をしてその晩は別れた。

翌朝、わたしたちは予定通りホテルの前でカムリに迎えてもらい、香港島のビクトリアピークに向かった。ビクトリアピークはよく晴れていて、香港島や九龍の摩天楼を見下ろすことができた。ちょっと景色がくすんで見えるのは、中国南部の工業地帯からのスモッグのせいらしい。

友人ご夫妻は、結婚式の前日にわたしたちを香港グルメツアーに案内すると決めていたらしい。香港島のビクトリアピークとスタンレー市場を案内してくれた後、ワンタンメン、飲茶（ヤムチャ）、エッグタルト、北京ダックを含む高級コース料理まで、怒涛の美食攻めが続いた。

特に、夕食のレストランはミシュラン級で、おなじみの名前の料理であっても、盛り付けも味も、初めてのように感じる豪華なものばかりだった。北京ダックが一羽出てきたので、これを前にして記念写真を撮ろうと提案すると、キッチンから料理用のナイフとフォークを出してくれた。

以前から、北京ダックは北京よりも香港の方が美味いと冗談で言い続けてきたわたしだが、その通りかもしれない。パリパリにローストされたダックの皮と、細く揃えられた白髪ねぎとキュウリ、そして甘辛いソースのバランスが絶妙だった。本当に上品で洗練された味は、北京から睨まれ、狙い撃ちにされそうだ。

もちろん中華料理に合わせて飲みたいのは、青島ビールである。ただし、今回は高級グルメの波状攻撃に胃袋が悲鳴を上げそうなので、途中から紹興酒に替えることにした。ご夫妻は高級中国茶を頼み、旦那の方はそれを白湯で割って飲んでいる。

どうやら香港人は、とにかく食べきれないほどの食事を提供するのが礼儀だと考えているらしい。それに対抗するのが、飯粒一つ残しても失礼に当たると考えがちな日本人だ。その先には、とんでもない末路が待っている。コース料理が一段落しても、器が空になると次から次へと注文が続く。こちらは、遠慮をしながらも、料理をきれいに平らげねば、と力んでしまう。

満腹でもいくらでも入りそうな美食ばかりだから、なおさら逃れられない。どうしたら、このとめどないグルメの渦から抜け出せるのだろう？

〈香港B級グルメツアー〉

香港高級グルメツアーの翌日は、香港B級グルメ旅であった。結婚式当日のため新郎の両親は忙しく、北海道サイクリングツアーメンバーのうちの三人が、わたしたちを下町に案内してくれた。

まずは、朝食にレバー入りスープ麺とトースト、ミルクティーのセットをごちそうになった。どんぶりには、アクの浮いた濁ったスープに中華麺が沈み、その上にレバーがトッピングしてある。レバーから出た血やアクが固まって栄養満点？　らしい。醤油風のスープはコクがあって、ショウガで臭いを消しているのか、レバーの臭みもない。

麺は、それほどこだわっているようにも見えず、どこかで味わったような柔らかめでコシのない縮れ麺だ。ふと出入り口の横に積まれた箱を見ると、麺の正体が分かった。なんと「出前一丁」と書かれていたのだ。最近の日本では、あまり見かけないが、インスタントラーメン「出前一丁」の麺は、東南アジアでは絶大なる人気を誇っている。

Ｂ級グルメはまだまだ続き、豆腐屋の軒先でちょっと甘い豆腐のデザートみたいなお椀をいただき、そのまた先の屋台を次から次へと冷やかしていく。

昼食に入った店は、前日とは違う雰囲気の飲茶で、下町らしい客がひしめき合っていた。様々な点心が、蒸籠で湯気をまき散らしながら、次から次へと運ばれてくる。エビの水晶餃子、小籠包、春巻、焼売、などなど。またまた勢いづいて、昼間っから青島ビールを飲んでしまった。

〈香港の結婚式〉

さてさて、本題の結婚式は、十八時から延々と続く長丁場だった。九龍半島の先端で、大きな窓から海峡と香港島を見渡すことのできる高級ホテルが結婚式の会場である。わたしたちが到着すると、先に集まった方々はもう盛り上がっていて、すっかりお祝いが始まっているようだ。聞いてみると、香港の結婚式は麻雀をしながら開式を待ち、皆が集まった時点で始まり、数時間にわたって祝い続けるものらしい。

結婚式は、北京語、広東語、英語の三言語で進めるものだから、なかなか先に進まない。新郎はフィリピン生まれの香港人で、父親がアジア開発銀行に勤めていたこともあって、ヨーロッパ系のゲストも多い。新婦は台湾系の出身のため、北京語とほとんど同じ言葉を話すらしい。

2014年　香港の結婚式、新郎の御両親と

洋風の豪華なフルコースを食べながら、来賓のあいさつ、新郎・新婦の誓いの言葉、なれそめの披露、ウェディングケーキ入刀、友人の挨拶など、めでたい次第が進んでいく。それにいちいち三カ国語の通訳が付くのだから、時間がかかるのも当たり前だ。しまいには、わたしたちの友人である新郎の両親がマイクを持って、喜びを語り始めた。二人とも楽しそうに、英語と広東語で語りかけ、皆を笑わせながら、スピーチは続く、続く。

女房の白とピンクを基調とした和服は、わたしの普通のダークスーツに比べて、とても目立っていた。式の進行にかまわず記念写真を頼んでくる参会者までいて、女房はとても喜んでいた。会場に着くまでは、こんな熱帯で着るもんじゃないと、汗をかいて文句タラタラだった。でも、冷房の効いたホテルで、これだけ注目を浴びれば、持ってきた甲斐があるというものだ。

日付が変わるころになっても、結婚式の熱は冷めやらず、わたしたちは新郎新婦、ご両親に挨拶をして、辞去することにした。翌日は現実に戻って、千歳行きの便に乗らなければならない。宴席の隣で仲良く話をしていたオーストラリア在住香港人ご夫妻も、帰るチャンスを待っていたらしく、一緒に腰を上げた。三々五々集まって騒いで、それぞれの都合の良い時間に引けていくのが、香港風結婚式の礼儀らしい。

六　マレーシアのランカウイ島とクアラルンプール

二〇一五年、わたしは研究所と役所を退官し、女房と二人で気ままに海外旅行を楽しむことにした。今までもお気楽な旅をしていただろうと言われそうだが、背中の荷物を下ろして、なおさらゆっくりできそうだ。

女房は台湾行きを希望したが、わたしの独断でマレーシアのランカウイ島に行く計画を決めてしまった。あらかじめ聞いておきながら説明抜きで旅先が決まったと、女房は怒っている。

ランカウイ島は、マレーシアの北部アンダマン海にあり、二〇〇七年に東南アジアでは初めて世界ジオパークに登録された。ジオパークとは、科学的に見て特別に重要で貴重な、あるいは美しい地質遺産を複数含む一種の自然公園である。ランカウイの「ラン」は鷲を、「カウイ」は大理石を意味しており、一九八〇年頃からマレーシア政府主導で観光開発が進められ、一大リゾートになっている。そして、島全体が自由貿易特区に指定され、免税になっていて、アサヒスーパードライの缶を七〇円ぐらいで買うことができる。

〈ランカウイ島のリゾート〉

わたしたちは、朝早く千歳発の便に乗り、成田で乗り換え、夕方にはマレーシア、クアラルンプールに着いていた。そして、それから国内線に乗り換え、ランカウイに到着したのは、夜中だった。

ランカウイで予約していたホテルには、海岸沿いの広い敷地にコテージが分散立地していて、その中心に寺院風の木造建築物がある。わたしたちは、その寺院風のレセプションでチェックインをして、ゴルフ場のカートみたいな乗り物で、コテージに案内された。コテージは、ベッドルーム、トイレ、風呂の湯船も広々としていて、ゆっくりとくつろげる。

朝からのフライト乗り継ぎにほどよく疲れ、熱帯のぬるい夜風に汗をかいた体は、いつものように冷たいビールを求めていた。レストランで簡単な料理とともに注文したタイガービールが、じんわりと体にしみ込んでいく。ほろ酔い加減で、エアコンの効いたコテージに戻り、ベッドに潜り込んだ。

熱帯のリゾートで迎える朝は、とても気持ちが良い。様々な鳥のうるさいぐらいのさえずりを聞きながら、ゆっくりと目を覚ます。自分の居場所を思い出しながら、その日の予定を考える。コテージの日よけの隙間から差し込む朝日は、もう熱帯のギラついた光に満ちている。

ランカウイ島の川と海を巡るツアー

ランカウイのジオパークを堪能するプログラムとして、川と海をボートで巡り、マングローブ林を楽しむツアーがある。そのツアーを予約すると、ホテルまでワゴン車が迎えに来て、ランカウイ島の北端の入り江にある出発点まで送り届けてくれる。出発点には、数多のツアー会社の所有している色とりどりのボートがひしめいている。

ボートは、マングローブが密生し、曲がりくねった細い河川から海まで巡り、いろいろな景色を見せてくれる。ピーナッツを川面にばらまくと、腹を空かせた猿たちがたむろして泳いでくる。空中に放り投げた肉を颯爽とかすめ取る、ランカウイの主、エリジロオオワシ。船長の巧みな操舵でやっとこさ通り抜ける、ボートの幅ギリギリの洞窟。入り江に浮かんだ大きな筏に寄ると、それはいくつもの生け簀の寄せ集めになっていて、いろいろな魚が養殖されていた。

ツアーの最後にボートから降りると、コウモリがたくさんぶら下がっている鍾乳洞の探検が組み込まれていた。熱帯のギラついた日差しから、明かりのない洞窟に入ると、瞳孔の調節が効かなくなる。突然、女房が全然見えないと叫び、わたしにしがみついてきた。何のことはない、彼女は色の濃いサングラスをしたまま洞窟に入り、足下さえ見えなくなっていたのだ。

〈ランカウイ島のタイガービール〉

ランカウイ島は免税特区だけあって、美味しい食事とビールを安く楽しむことができる。二日目の晩は、ホテルから歩いて五分ほどの海鮮中華料理店に入り、タイガービールと海の幸を堪能した。背から開いてグリルにした大きなエビにレモンを搾って、マレー風のソースをつけてほおばる。チリソースがまぶされたカニの甲羅を専用の器具で割って、中の肉を指先で引きずりだす。チリソースのついた指をしゃぶりながら、タイガービールを飲み干した。イカのフリッターや空心菜の炒め物、サテー（マレー風焼き鳥）など、ビールに合う料理ばかりを追加注文し平らげた。

その翌日の夕食は、ホテルの敷地内の海岸沿いにある屋外レストランに席を予約した。白い砂浜の上に大きめのパラソル、テーブルと椅子がセットされていて、夕日が沈むのを見ながら、洋食が楽しめる。カールスバーグの細めのジョッキは、昼の名残の熱気に汗をかいていて、夕日にきらめいている。

まずは、シーザーサラダを取り分けて、ビールのつまみにした。肉のメインディッシュを食べるころには、夕日が沈んで、小さなグラスに入ったキャンドルが食卓を幻想的に照らしていた。

〈クアラルンプールの墓参り〉

ランカウイ島を楽しんだ後、わたしたちは小さな飛行機でクアラルンプールに戻った。クアラルンプールには二泊する予定で、古都マラッカ日帰り観光旅行と、ロウ氏の墓参りを予定していた。

クアラルンプールの二日目、旧友ロウ氏の奥さんと娘さんが、ロウ氏の墓参りに案内してくれた。娘さん運転の小型フォードがホテルまで迎えに来てくれて、三十分ほど高速道路を走り、クアラルンプール郊外の墓地に到着する。そこは広大な敷地を持つ墓園で、キリスト教の十字架や、イスラム系の墓もあるという。

ロウ氏は中華系の客家の出身で、自宅に孔子を祀る部屋があったので、儒教を信じていたのだろう。数年前に彼の自宅に招かれたときに、彼と信心をともにする仲間と会う機会があり、宗教観について議論をしたが、よく分からないことも多かった。彼が信じていることは生き方そのものであり、宗教ではないと強調していた。

ロウ氏の墓は、団地風のもので、建物の内壁一面に、縦が九段、横が数列に区切られたお骨を収める棚が設えてあり、それぞれの区画が御影石で封じられている。その最上段の一画に、彼の写真が貼り付けられ、氏名、生まれと亡くなった年月日などが刻まれていた。彼の写真の隣には、もう一つ写真を貼り付ける場所があり、将来奥様がここに祀られるよう準備されているようだ。

わたしたちは、日本から持参したリンゴを墓所の前のテーブルに供え、ロウソクを灯して、手を合わせた。墓参りの作法など全然分からず不安だったが、亡くなった方に対する敬意と家族への思いやりさえあれば、形はどうでも良いと割り切った。三十年前からの彼の思い出をかみしめ、彼に教えてもらったことを広めながら、彼の分まで生きていくのだ。

〈タイガービールの飲み納め〉

その晩は、ホテルのプールを見渡せるレストランで夕食をとることにした。ココナッツオイルのせいか胃腸が重かったし、疲れも溜まってきたので、軽い食事で済ませた。でも、タイガービールだけは我慢する気になれず、二人ともジョッキを注文し、プールの向こうに沈んでいく夕日に乾杯した。

マレーシアの最終日、帰国するフライトは夜の便だったので、買い物のついでに足裏マッサージでリフレッシュすることにした。ところが、マッサージはとても痛くて、リフレッシュどころか、全身に力が入って筋肉痛になりそうだ。女房と二人で並んでマッサージをしてもらい、お互いのしかめっ面を指さして笑い合った。

わたしたちは早めに空港に到着し、日本食レストランに入る時間があった。久しぶりに味わう和食は胃腸に優しく、目にも美しく、日本に生まれたことがとても幸せに思える。斜め向かいの席に一人で座った欧米系の若い女性は、タイガービールと枝豆を注文した。海外でも和食が流行っていて、枝豆などヘルシーなつまみの人気が急上昇しているらしい。

わたしたちも枝豆を追加注文し、タイガービールでマレーシア最後の食事に乾杯した。

〈タイガービールと青島ビール〉

わたしたちがマレーシアを訪れる前年、二〇一四年三月八日にマレーシア航空三七〇便が行方不明になり、その後機体も乗客も見つかっていない。だからといって、旅行をするたびにそういう事故を心配していたらきりがない。わたしたちは不安を少しも感じなかったし、能天気にビールを飲んで旅行を楽しんできた。

二〇一九年にはロウ氏の娘さんから、お子さんが生まれたとの嬉しいお知らせをいただいた。かわいい男の子の写真を見て、ひょっとしてロウ氏の生まれ変わりだったりして、などと勝手なことを思いながら祝福した。どこで何が起ころうとも、それぞれの土地で生活が営まれ、思い出は次世代へと受け継がれていく。

香港の友人夫妻からも、フィリップの息子さんのすくすくと成長している写真が、次々と送られてくる。しかし、香港では二〇一四年の雨傘革命とその後の厳しい取り締まりを経て、窮屈な生活を余儀なくされているらしい。そして、ご夫妻は以前から計画していたオーストラリア移住を決断した。フィリップ家族や香港の親せきを残していくことも覚悟しているようだ。

わたしたちは、相変わらず文句を言いながらも、日本の穏やかな生活を楽しみ、日本のビールを楽しんでいる。香港の青島ビールやマレーシアのタイガービールを夢見ながら…。次は、香港からオーストラリアに移住するご夫妻を訪ねて、カキを食べながらフォスターズ・ビールで乾杯しようか。

ロウ氏の面影

おわりに

わたしたち家族がフィリピンに住んでいたころ、「どこに住むかではなく、いかに住むか」が大事だと教えられた。女房が参加していたボランティア団体代表の方が、そうおっしゃったという。異国の地の生活にストレスを感じ、何事も思い通りに進まなくて不満が募っていたときに、この言葉にたしなめられ、元気づけられた。

当時（一九八八～一九九一年）は、東西冷戦のまっただ中で、ベルリンの壁が崩壊（一九八九年）し、ソビエト連邦の終焉（一九九一年）を迎える直前だった。世界がまさに新しい、もしくは混迷の時代へと進んでいる最中に、わたしたちは海外生活を送っていたのだ。

わたしが派遣されていた台風委員会事務局は、国際連合の末端機関で、委員会は東アジアの十メンバーで構成され、朝鮮民主主義人民共和国も加盟していた。そして、様々な国際機関をはじめ、アメリカ合衆国やソビエト連邦も協力組織として名を連ねていた。東西冷戦の厳しい国際情勢の中で、非常に特異な組織だったようにも感じられる。

一九九〇年、マニラ湾にソビエト連邦の気象観測船が来港したとき、わたしは台風委員会事務局員として招待されたことがある。船内の食堂で、ソビエトの気象学教授と会談し、船員たちはビールではなくウォッカで歓待してくれた。そして、帰りには気象データーが記録された磁気テープを託され、二日後にアメリカの気象学者に手渡す手はずになっていた。

まさか、その磁気テープに、冷戦終結に向けた動きを左右する、アメリカとソビエトの機密情報が記録されていたわけではあるまい。情報に政治的な意味はなかったとしても、少しでも国際協調の橋渡しに関わることができたのならば、うれしい限りだ。

また、一九九〇年に大韓民国のソウルで行われた台風委員会総会には、朝鮮民主主義人民共和国の代表が出席した。事前に北朝鮮からの出席要請を受けて、わたしは事務局長と世界気象機構（ＷＭＯ）などと協議する必要があった。そして、在フィリピン韓国大使館にも話を通して、北朝鮮代表団の韓国入国の了解を得ることができた。台風委員会総会当日には、孤立しがちな北朝鮮の出席者に配慮して、すすんで話しかけていた記憶がある。

当時のわたしは、ただサンミゲルを飲み呆けていたわけではなく、国際社会の裏側でめざましい活躍をしていたのだ。そんな地道な努力があって、世界平和と国際協調の大きなうねりが…、なんていえるような状況ではないよね。

でもあきらめず、少しずつ国内・海外の応援団を増やしていくのだ。

「どこに住むかではなく、いかに住むか」、とどのつまりは、これを伝えたくて「ビール紀行」を書いてきたのかもしれない。何のためにどのように生活し、仕事をするのか、どうして何を求めて旅をするのか、家族との生活をどれだけ楽しめるか、仲間がどんなに貴重な存在か？　もちろん、どうして、どのようにビールを飲むのか？

すなわち本書は、人生とは何かという哲学的問題について、ビールを通じて論じる、壮大なノンフィクション物語だったのだ。と、ビールの酔いを借りて大風呂敷を広げてしまおう。

いろいろな人のお世話になって、貴重な経験をさせていただき、美味しいビールにありつくことができた。どうもありがとうございました。

お楽しみはこれからだ！

私たちは探検をやめることはない
そしてすべての探検の終わりに
出発した場所にたどりつく
そのときはじめてその場所を知る

（ヤニス・バルファキス：Talking to My Daughter About the Economy
「父が娘に語る経済の話」関美和　訳、二〇一九年、ダイアモンド社）

謝辞

本書を発刊できたのは、わたしが公僕技官として勤務していた時に、いろいろな機会を与えてくださった諸先輩と仲間の皆様のおかげです。一緒に仕事をして、ビールに付き合っていただき、ありがとうございました。

登場していただいた先輩や同僚の記述について、話を盛り上げるために、悪役キャラを際立たせた表現があったかもしれません。当時の恨みを晴らそうとか、個人を貶めるような悪意は全くありません。貴重な思い出を残してくれた皆様に感謝するばかりです。

北海道大学農学部の恩師である、東三郎先生（二〇一九年ご逝去）、新谷融先生をはじめ、多くの研究者・技術者から貴重な教えをいただきました。その教えを本書にちりばめて表現したつもりです。

また、フィリピン在住時代や海外出張の時などに各国の方々の応援を得ることができました。その感謝の意を込めて、本書を刊行することにしました。

元の職場の仲間である日野勉さん、池田亮子さんには、現役公僕のセンスで執筆段階の原稿修正にご協力いただきました。この場を借りて御礼申し上げます。

土木研究所寒地土木研究所の同僚であった渡邊康玄さん（二〇二一年現在、北見工業大学副学長）には、本書のそこかしこに登場してもらいました。楽しい旅に同行することができ、面白いネタを提供していただき、心から感謝しています。

本書は、岡村俊邦さん（北海道科学大学名誉教授）との共著である「緑の手づくり」（中西出版、二〇一五年、電子書籍）と、「国土のゆとり」（中西出版、二〇二〇年）で著した技術的な議論の裏話でもあります。岡村さんとの共同研究、中西出版の皆様との編集作業のおかげで、本書の構想が膨らんできました。ありがとうございました。

本書の表紙は、敬愛する半農半画家のイマイカツミさんにお願いしました。お忙しい中、思わずビールを飲みたくなるような素敵な絵を描いていただきとても光栄に感じています。

挿絵は、昔からの友人であるえのきゆみこさんに描いてもらいました。思い出の情景を再現するという無茶振りに答えてくださいました。

第三章の石狩川廃船群の写真は、齋藤清さんから提供していただきました。奥様と数日間家中を探し回り写真を見つけて下さったそうです。ありがとうございました。

ビール好きばかりに囲まれた生活から、本書が生まれたともいえそうです。わたしにビールの味を教えてくれたのは、両親の吉井二郎と道子です。残念ながら、もう一緒に飲むことはできませんが、思い出を大事に末永くビールを楽しむことを約束します。

妻の弥生、娘の歩、息子の直は、一緒に海外生活を乗り越え、わたしの公僕生活を支えてくれました。今や最高のビール飲み仲間として、欠かせない存在です。二〇二〇年には、歩と豆越亮介さんとの間に、孫娘の月海が生まれました。おかげさまで、将来一緒にビールを酌み交わす夢ができました。ありがとう。

そのためにも長生きしなくっちゃ。

著者略歴

吉井 厚志（よしい あつし）

みずみどり空間研究所主宰、農学博士。株式会社ハタナカ昭和取締役副社長、萌州建設株式会社最高顧問・最高技術責任者。

1957年2月20日 博多生まれ。札幌育ち。

1979年に北海道開発庁に採用され、2015年まで河川・砂防・海岸などの公共事業に関する業務や研究に携わる。1988年にはESCAP/WMO台風委員会事務局（在マニラ）に水文専門家として派遣され、東アジア諸国の洪水被害軽減のための技術協力に2年8ヶ月間従事する。

著書に、北海道科学大学の岡村俊邦名誉教授との共著「緑の手づくり」(2015年、中西出版、電子書籍)、「国土のゆとり」(2020年、中西出版)があり、本書はその裏話でもある。今回、ビール絵を描いてみた。

海外好き公僕技官のビール紀行

2021年7月31日　初版第1刷発行

著　者　　吉井厚志
発行者　　林下英二
発行所　　中西出版株式会社
〒007-0823 札幌市東区東雁来3条1丁目1-34
TEL 011-785-0737　FAX 011-781-7516

カバー画　　イマイカツミ
イラスト　　えのきゆみこ
印　刷　　中西印刷株式会社
製　本　　石田製本株式会社